Wil ac Aeron

Wil ac Aeron

Wil Evans ac Aeron Pughe
gyda Heulwen Davies

ISBN: 978 1 78461 700 4
Argraffiad cyntaf: 2019

Mae'r prosiect Stori Sydyn/Quick Reads yng Nghymru yn cael ei gydlynu gan Gyngor Llyfrau Cymru a'i gefnogi gan Lywodraeth Cymru.

Argraffwyd a chyhoeddwyd gan
Y Lolfa, Talybont, Ceredigion SY24 5HE
gwefan www.ylolfa.com
e-bost ylolfa@ylolfa.com
ffôn 01970 832 304
ffacs 832782

1

Ffrindiau Oes

"YR ATGOF CYNTAF SYDD genna i o Aeron ydy 'nôl yn nyddiau'r ysgol feithrin ym mhentref Glantwymyn. Roedden ni i gyd yn y rhes yn aros i weld Siôn Corn ac roedd Aeron yn sefyll allan i fi achos bod o mor fach. Wnaeth o ddim tyfu llawer nes oedd o yn ei ugeiniau ac mae o'n rhyw fath o normal rŵan!"

Mae Wil ac Aeron yn adnabyddus i nifer erbyn hyn fel sêr y sgrin a'r radio, y cyflwynwyr digri sydd yn tynnu coes ac yn herio'i gilydd. Fel Ant a Dec a'u tebyg, mae'r ddau yma yn bartneriaeth arbennig, yn deall ei gilydd i'r dim a does ryfedd, oherwydd mae'r ddau yn adnabod ei gilydd ers pan oedden nhw mewn cewynnau!

William Evans, neu Wil Hendreseifion fel mae'n cael ei adnabod, gyrhaeddodd y byd yn gyntaf a hynny ym mis Mai 1980. Lai na dau fis wedyn, fe laniodd Aeron Pughe.

Cafodd y ddau eu geni yn Ysbyty Bronglais, Aberystwyth, a'u magu ar ddwy ffarm o fewn chwe milltir i'w gilydd ym Mro Ddyfi. Dydyn nhw ddim wedi bod yn rhy bell oddi wrth ei gilydd erioed!

Aeron yw'r hynaf o dri brawd. Roedd ei fam, Sandra, yn gynorthwyydd mewn ysgol gynradd a'i dad, John, yn ffarmio'r ffarm deuluol. Roedd y teulu'n byw yn Nhŷ Capel ym mhentref Darowen ger Machynlleth pan gafodd Aeron ei eni.

"Roedd Mam a Dad yn ifanc iawn yn fy nghael i – Mam yn 21 a Dad yn 20. Os mai mistêc o'n i, wel, dyna'r mistêc gore erioed, mae'n siŵr, yndê?!"

Pan oedd Aeron yn ddwy oed, symudodd y teulu i ffarm Gwernbere yn Narowen, ffarm ei nain a'i daid. Mae gan Aeron atgofion hapus o fyw yn y byngalo ar y ffarm.

"Roedd y byngalo yn newydd sbon ac i fachgen dwy oed roedd hynny'n gyffrous iawn. Doedd yr ardd heb ei gorffen, roedd y lle'n fwd i gyd a dwi'n cofio treulio mwy o amser tu allan na'r tu mewn, yn reidio o amgylch ar fy nhractor bach ac yn creu traciau yn y pridd. O'n i wrth fy modd tu allan yn y mwd a dyna lle dwi hapusaf hyd heddiw!"

Chwe milltir i lawr y dyffryn, ym mhentref Llanwrin, roedd Wil yn cael ei fagu ar ffarm Hendreseifion. Fel Aeron, mae Wil yn un o dri brawd, ond ef yw'r mab canol. Roedd ei rieni, Gill a Huw, yn arloesi gyda gwartheg gleision ar y pryd, ac roedd pob sgwrs o amgylch y bwrdd bwyd yn ymwneud â'r gwartheg.

"Dwi'n cofio Mrs Fychan, un o athrawon yr ysgol gynradd, yn sôn wrth Mam mewn noson rieni fy mod i'n *obsessed* efo tynnu lluniau o wartheg efo penolau mawr a doedd hi ddim yn deallt pam. Roedd Mam yn rholio chwerthin wrth esbonio wrthi mai dyna un o brif rinweddau'r gwartheg gleision!"

Fel y mwyafrif o blant sy'n cael eu magu ar ffarm, roedd Wil ac Aeron wrth eu boddau yn yr awyr iach ac yn helpu eu rhieni. Roedd ffarmio yn y gwaed o'r cam cyntaf, a'r ddau'n torchi llewys ac yn dilyn eu tadau o amgylch y siediau a'r caeau.

"O'n i'n dilyn Dad i bobman o amgylch Hendreseifion. O'n i'r un peth efo Taid, ro'n i'n mynd efo fo i agor gatiau a bwydo'r stoc

– o'n i wrth fy modd ar y ffarm! Pan oedd y 'gwaith' ar ben ro'n i allan yn y berllan yn chwarae ac yn magu ŵyn swci. Ro'n i allan trwy'r dydd a ddim ond yn dod i mewn i'r tŷ pan oedd Mam neu Dad yn chwythu'r whisl i ddweud bod bwyd yn barod!"

Mae Wil ac Aeron yn cofio treulio llawer o'u plentyndod ar ffermydd ei gilydd, yn adeiladu deniau a rampiau beics, ac yn chwarae rasys afalau pan oedd y ddau yn taflu afalau i'r dŵr i weld pa un fyddai'n ennill y ras. Mae Wil yn nodi eu bod nhw'n mwynhau creu eu hadloniant eu hunain a defnyddio'u dychymyg, yn wahanol i blant heddiw:

"Maen nhw i gyd â'u pennau mewn sgrins iPads heddiw. Ddim y ffordd ore i dreulio plentyndod. Ew, dwi'n swnio'n hen rŵan!"

Ar ffarm Gwernbere roedd John, tad Aeron, yn gwneud gwaith weldio ac adeiladu a hefyd yn gwneud enw mawr iddo'i hun yn y byd cneifio. Roedd yn dipyn o arwr i Aeron a Wil ac i nifer o fechgyn yr ardal:

"Roedd Dad yn uchel iawn ei barch yn y byd cneifio. Roedd o'n teithio'r byd yn cynrychioli Cymru mewn pencampwriaethau cneifio ac yn mynd i ffwrdd i Seland Newydd am gyfnodau hir weithiau. Fel Wil, ro'n i'n dilyn Dad i bobman a dwi'n cofio meddwl 'mod i eisiau bod fel Dad pan o'n i'n tyfu fyny. Dwi'n dda efo fy nwylo ac yn gallu weldio a chneifio, ond ddim cystal â Dad. Dwi'm yn credu 'mod i wedi tyfu fyny eto chwaith!"

Meibion ffarm oedd y mwyafrif o ffrindiau Wil ac Aeron yn yr ysgol feithrin yng Nglantwymyn. Mae'r ddau'n honni mai nhw ac Einion Blaenplwyf oedd hoelion wyth y 'gang'!

"Roedden ni'n griw da, bob un yn dod o gefndir tebyg ac yn rhannu'r un diddordebau – anifeiliaid, tractors a merched! Ryden ni'n dal yn ffrindiau ac yn rhannu'r un diddordebau hyd heddiw, ond nid merched (rhag ofn bod y gwragedd yn darllen!)."

Er eu bod nhw'n griw 'da', mae'r ddau'n cydnabod eu bod nhw'n griw heriol i'r athrawon yn Ysgol Gynradd Glantwymyn. Fel nifer o feibion ffarm, doedd dim un ohonyn nhw eisiau bod yn yr ystafell ddosbarth.

"Roedd Aeron, yn sicr, yn fwy clyfar. Do'n

i ddim yn medru canolbwyntio ar ddysgu, ac ro'n i'n treulio'r rhan fwyaf o'r amser yn edrych allan trwy'r ffenest yn meddwl beth oedd Mam a Dad yn ei wneud ar y ffarm. 'Day Dreamer' oedd y sylw ar fy adroddiad ysgol i bob blwyddyn! Wrth edrych 'nôl dwi'n dyfaru peidio canolbwyntio a gwneud yn well yn yr ysgol oherwydd mae gwaith papur yn rhan mor bwysig o ffarmio a phob swydd arall. Dwi'n teimlo fy mod i wedi gadael fy rhieni i lawr hefyd – dyna'r unig beth dwi'n ei ddyfaru wrth edrych 'nôl. Ond fyswn i ddim pwy ydw i rŵan fel arall!"

Mae'n amlwg bod nifer o bethau cyffredin rhwng Wil ac Aeron o'r cychwyn cyntaf, a does ryfedd bod y ddau wedi dod yn ffrindiau da. Ond roedd gwahaniaethau amlwg hefyd. Roedd William yn fachgen tal a chryf fel Robat ei frawd mawr, ond roedd Aeron yn fachgen bach iawn, yn fyr ac yn denau.

"Roedd hi'n rhwystredig bod mor fach. Doedd o ddim yn hawdd, yn enwedig pan oedd hi'n dod i'r *kiss chase* – Wil oedd yn cael cusanu'r merched tlws bob amser!"

Mae Wil yn cofio sgwrs gyda Gill, ei fam,

pan oedd yn ifanc iawn, a hithau'n nodi bod angen iddo edrych ar ôl Aeron, a pheidio bod yn ryff wrth chwarae efo fo, oherwydd bod Aeron mor fach o'i gymharu â gweddill y bechgyn.

"Dwi'm eisiau gwneud ei ben o'n fwy nag y mae o, ond o'n i'n meddwl y byd ohono fo. Roedd o'n fachgen annwyl ofnadwy a bob amser yn gwneud inni chwerthin. O'n i'n ofalus iawn ohono ac yn edrych ar ei ôl o fel brawd."

Roedd Aeron yn gwybod nad oedd gobaith ganddo gystadlu'n gorfforol yn erbyn y bechgyn eraill, felly roedd yn benderfynol o ddarganfod ffordd arall o wneud ei farc. Yr ateb amlwg oedd defnyddio ei geg!

"Roedd genna i ddigon i'w ddweud bob amser, ac roedd gen i hiwmor oedd rhywsut neu'i gilydd yn gwneud i weddill y criw a'r dosbarth cyfan chwerthin yn uchel. Dyna fi felly yn sefydlu fy hun fel 'ceg' y grŵp, dyna'r ffordd hawsaf i sicrhau sylw. Mae'n rhaid i bawb ddefnyddio'i gryfderau, yn does, a dwi wedi llwyddo i wneud bywoliaeth wrth ddefnyddio'r geg 'ma erbyn hyn!"

Yn anffodus, doedd y geg ddim yn helpu

Aeron mewn gwersi chwaraeon. Mae'n cofio sut roedd Wil yn gallu rhedeg yn wych a tharo peli rownderi dros do'r ysgol am ei fod o mor gryf. Ond doedd dim gobaith caneri i Aeron.

"O'n i'n anobeithiol mewn gwersi chwaraeon a fi oedd yr olaf i gael ei ddewis i bob tîm. O'n i'n cerdded fel hwyaden ac yn wan i gyd. Dwi'n gryfach, yn dalach ac yn fwy golygus heddiw. Ond dwi'n dal i gerdded fel hwyaden!"

Atgof heriol arall o blentyndod Aeron oedd ei sbectol. Pan oedd yn ifanc iawn roedd rhaid iddo gael sbectol, un fawr ddu, ac roedd yn ei chasáu â chas perffaith.

"Dwi'n cofio Aeron yn dod i'r ysgol efo'r sbectol am y tro cyntaf. Fo oedd yr unig un yn y dosbarth efo sbectol ac ro'n i'n benderfynol bod neb yn cael gwneud hwyl am ei ben, er bod 'na olwg arno! Wrth edrych 'nôl, dim ond Aeron alle fod wedi edrych cystal yn y sbectol yna. 'He owned them', fel mae'r Sais yn dweud."

Tra oedd Aeron yn colli cwsg dros wersi chwaraeon a'i sbectol, roedd Wil yn colli cwsg dros y prawf tablau wythnosol. Roedd yn eistedd drws nesaf i Aeron er mwyn cael copïo ei atebion mewn gwersi. Ond pan oedd hi'n dod i sefyll o flaen y dosbarth i adrodd y tablau, roedd Wil wedi deall mai'r unig ffordd o ymdopi oedd osgoi'r prawf yn llwyr! Bob wythnos byddai'n darganfod ffordd newydd o guddio – un ai cuddio yn y storfa neu fynd i'r toilet!

"Mae gen i dalent arbennig pan mae'n dod i osgoi gwneud pethe dwi ddim yn eu hoffi a dwi'n parhau i'w defnyddio! Mae Aeron yn un da am fy helpu i guddio hefyd!"

Roedd yr ysgol uwchradd yn bennod newydd i Wil ac Aeron. Am y tro cyntaf roedd yn rhaid rhannu dosbarth gyda bechgyn y dref a bechgyn 'caled' Bro Ddyfi. Roedd y flwyddyn gyntaf yn un o'r blynyddoedd anoddaf yn hanes y ddau.

Mae'r ddau'n dweud bod Ysgol Uwchradd Bro Ddyfi yn *game changer* go iawn. Roedden nhw'n rhannu dosbarth gyda thygs y dref. Roedd Wil yn chwarae pêl-droed i dîm Hurricanes Machynlleth, ac wedi cwrdd â rhai ohonynt eisoes ar y cae ac felly'n gwybod pwy i'w osgoi, ond roedd hi'n anoddach i Aeron yn ei sbectol ddu.

"Ro'n i'n darged hawdd i'r bwlis yma. Ro'n i'n dod adref mwy neu lai bob wythnos efo'n sbectol wedi malu, trwyn yn gwaedu a'r dillad ysgol yn rhacs. Roedd o'n costio ffortiwn i fy rhieni druan. Os o'n i'n mynd i lawr y coridor ar fy mhen fy hun, roedd 'na un o'r bechgyn yma'n glanio ar fy mhen i, neu'n fy nyrnu i. Roedd o'n ddychrynllyd."

Roedd yn gyfnod anodd i Wil hefyd. Am y tro cyntaf roedd yn rhaid i'r ddau ffrind gael eu gwahanu mewn gwersi. Roedd Aeron yn ymdopi'n dda gyda'r gwaith ysgol ac yn y set uchaf ym mhob pwnc, tra oedd Wil yn cael ei symud i'r set waelod. Am y tro cyntaf, doedd dim modd i Wil gopïo gwaith Aeron a'r plant clyfar, ac o ganlyniad, roedd Wil yn casáu'r ysgol hyd yn oed yn fwy. Mae'n datgelu mai prin iawn oedd yr athrawon oedd yn deall meddylfryd plant gwledig, a'r ffaith bod angen gwneud y gwersi'n fwy perthnasol iddynt. Mae'n dweud ei fod yn cyfri'r dyddiau nes roedd o'n cael gadael yr ysgol uwchradd ers ei ddiwrnod cyntaf yno!

Wedi dychwelyd i'r ysgol yn yr ail flwyddyn, daeth y bwlio fwy neu lai i ben dros nos, ac mae Wil yn credu mai i'r gwaith caled ar y ffarm dros wyliau'r haf roedd y diolch am hynny.

"Roedden ni 'blant y wlad' wedi bod allan ar ein ffermydd yn gwneud gwaith corfforol trwy'r dydd bob dydd am chwech wythnos. Roedden ni i gyd, gan gynnwys Aeron, wedi bylcio i fyny. Doedd bois y dref ddim yn gallu credu fel roedden ni wedi tyfu a lledu, ac roedd hynny'n ddigon o reswm i adael llonydd i ni."

Mae Wil ac Aeron a nifer o 'fechgyn y dref' yn parhau i fyw ym Mro Ddyfi hyd heddiw, ac erbyn hyn maen nhw'n ffrindiau ac yn cymdeithasu yn y White Lion a'r White Horse ar y penwythnos. Wrth edrych 'nôl, mae Aeron yn credu nad ei ddelwedd yn unig oedd yn ei wneud yn apelgar i'r bwlis, ond hefyd y ffaith mai Cymro bach oedd o. Doedd y Gymraeg ddim yn cŵl, ac roedd y bechgyn di-Gymraeg wrth eu boddau yn gwrthryfela yn erbyn yr iaith ac unrhyw un oedd yn credu'n gryf yn y Gymraeg a'r diwylliant Cymraeg.

Mae Aeron yn chwerthin wrth feddwl bod rhai o'r cyn-fwlis yma bellach yn talu i'w plant fynd i wylio Aeron yn perfformio fel Ben Dant, y môr-leidr, yn sioeau theatr Cyw! Yn ôl Aeron, mae hyn yn profi sut mae statws y Gymraeg wedi codi. Mae'r genhedlaeth oedd yn credu bod y Gymraeg ddim yn cŵl bellach yn penderfynu ac yn awyddus i anfon eu plant i ysgolion Cymraeg. Maen nhw'n gweld gwerth yn yr iaith a sut mae'r Gymraeg yn agor drysau i'w plant.

"O'n i jyst yn blentyn anffodus mewn cyfnod anffodus," meddai Aeron.

Gan ystyried yr holl brofiadau mae Wil ac Aeron wedi eu rhannu gyda'i gilydd yn ystod eu plentyndod, does ryfedd bod y ddau yn cydweithio mor dda. Y Wil ac Aeron ar y sgrin ac ar y radio ydy'r Wil ac Aeron go iawn. Yn wahanol i ddeuawdau eraill nid 'act' ydyn nhw. Fel hyn maen nhw wedi bod erioed. Meddai Aeron:

"Mae rhai yn dweud fy mod i'n greulon yn tynnu ar Wil ac yn ei gywiro, ac mae pobl yn credu bod Wil yn mynd yn rhy bell wrth wneud hwyl am fy mhen i pan dwi'n sâl ar y sgrin neu'n dweud fy mod i'n rhy gegog. Ond y gwirionedd ydy mai dyna ni – fi ydy'r un cegog a threfnus a Wil ydy'r un cryf a diog!

Ryden ni'n ffrindiau gore ers pan oedden ni mewn napis ac ryden ni'n deallt ein gilydd i'r dim!"

2

Coleg Bywyd

Penderfynodd Wil ac Aeron adael yr ysgol ar y cyfle cyntaf. Yn un ar bymtheg oed aeth y ddau i Goleg Llysfasi yn Rhuthun i astudio Amaeth. Penderfynodd Wil a rhai o'i ffrindiau astudio'r cwrs blwyddyn, ond roedd Aeron wedi penderfynu astudio'r cwrs dwy flynedd. Am y tro cyntaf ers yr ysgol feithrin, roedd y ddau wedi gwahanu ac wedi penderfynu dilyn llwybrau ychydig yn wahanol.

"Roedd hi'n rhyfedd peidio bod efo Wil ac Einion a'r bois eraill, ond ro'n i'n awyddus i anelu'n uwch ac ro'n i'n gwybod bod y cwrs dwy flynedd yn cynnig cyfle i fynd ar brofiad gwaith. Ro'n i'n gweld eisiau'r bois ond roedd yn gyfle i wneud ffrindiau newydd."

Roedd Wil ac Aeron wedi llwyddo i setlo'n dda iawn yn y coleg, ac roedd y ddau wedi dod yn ffrindiau gyda chriwiau gwahanol o fechgyn o ardal y Bala.

"Roedd bois Bala yn fois caled! Roedden nhw'n llawer mwy hyderus nag Aeron a fi ac yn dda iawn am ymladd hefyd! Yn ffodus, roedd gan Aeron a fi'r ddawn i wneud iddyn nhw chwerthin, felly roedd hi'n hawdd iawn inni wneud ffrindiau ac roedden ni wrth ein bodd!"

Er bod y ddau'n dilyn cyrsiau gwahanol, roedd Wil ac Aeron yn byw yn yr un neuadd ac yn parhau i wneud llawer o ddrygioni! Mae Aeron yn cofio sawl stori ddoniol o'r flwyddyn gyntaf:

"Roedden ni'n dwyn ceir ein gilydd, yn cuddio ceir ac yn gwneud *handbrake turns* yn y maes parcio! Dwi'n cofio cuddio sawl car mewn tas wair! Roedd y ceir ym maes parcio Llysfasi yn hen geir rhacs, yn wahanol i'r ceir drud sydd i'w gweld mewn colegau erbyn hyn!"

Mae Wil yn cofio sut roedd Aeron yn ddylanwad drwg, yn annog y criw i fynd i yfed yn y dafarn er nad oedden nhw'n ddigon hen i wneud hynny.

"Roedd y dafarn leol, y Three Pigeons, tua

thair milltir o'r campws ac roedd Aeron yn ein hannog ni i gyd i gerdded draw yno yn y tywyllwch i yfed dan oed! Yn wahanol i Aeron, ro'n i'n methu handlo diod yn dda iawn, ac ro'n i'n sicr yn methu cadw fyny efo arferion yfed y bois o'r Bala oedd yn gallu yfed peint o Worthington's heb anadlu, bron â bod!"

Doedd Aeron ddim yn mwynhau'r gwaith papur ar y cwrs yn Llysfasi, ond roedd yn hoff o'r gwersi weldio. Roedd ei athro yn credu mai weldio ddylai ei wneud fel gyrfa oherwydd roedd yn weldiwr hyderus a gofalus fel John, ei dad. Wrth edrych yn ôl, mae'n dyfaru na wnaeth o ddilyn cyngor yr athro hwnnw.

Chwe mis ar ôl dechrau'r cwrs roedd hi'n amser i Aeron fynd ar gyfnod o brofiad gwaith. Cafodd ei leoli ar ffarm yr Hafod yn Llanerfyl a byw yno gyda'r perchnogion, Wali ac Elen.

"Roedden nhw'n bobl garedig iawn ac roedd hi'n agoriad llygad i weithio ar ffarm rhywun arall. Yr her fwyaf i fi oedd bod y gwaith mor gorfforol a'r dyddiau'n hir, a gan fy mod i dal yn eithaf bach a thenau roedd o'n galed. Roedd byw yno ar fy mhen fy hun heb ffrindiau hefyd yn anodd."

Daeth cwrs Wil i ben yn Llysfasi ar ôl blwyddyn, ac er ei fod yn poeni am y gwaith cwrs cyn mynd, yn wahanol i Aeron roedd o wedi mwynhau'r cwrs. Am y tro cyntaf erioed, roedd o'n gallu dysgu am bwnc roedd o'n ei fwynhau. Cafodd syndod o ddysgu faint o wyddoniaeth oedd yn rhan o ffarmio hefyd. Fel nifer o fechgyn ffarm, mae'n falch ei fod o wedi mynd i'r coleg i ddysgu ei grefft, oherwydd doedd o ddim yn gwybod y cyfan am ffarmio cyn mynd, er ei fod o'n credu ei fod o!

Mae Wil yn credu bod y staff yn Llysfasi wedi dylanwadu'n fawr arno, yn enwedig y ddau athro cneifio, John Till a Bryan Williams.

"Roedd gan Bryan y ddawn i 'nghael i i wneud unrhyw beth! Roedd o'n ddyn pwyllog, ac ar ôl gorffen y gwersi ro'n i ac Einion a'r bois yn ei helpu i adeiladu byrddau lapio gwlân ac i lapio'r gwlân hefyd. Roedd o'n gwybod sut i ddelio efo'n drygioni a chael y gorau allan ohonan ni. Roedd John Till yn feistr caled, yn smocio fel trên, ond roedd ganddo hiwmor sych ac roedd o'n athro gwych. O'n i wir eisiau plesio'r ddau."

Ar ôl gadael y coleg, roedd Huw, tad Wil, yn mynnu bod yn rhaid iddo gael profiad o weithio ar ffarm arall cyn dod adref i ffarmio yn Hendreseifion. Roedd Huw wedi trefnu lle iddo yn Top Field Farm yn Swydd Warwick. Roedd yn gorfod mynd yno bythefnos cyn gwneud ei brawf gyrru, felly mae'n cofio mai Gill, ei fam, wnaeth ei yrru draw yno. Roedd teulu'r Websters wedi bod yn hyfryd iddo o'r cychwyn ac roedd wrth ei fodd yn byw gyda nhw.

Ond er eu bod nhw'n hyfryd, roedd David Webster yn feistr caled ar Wil. Rhai dyddiau byddai'n gwneud shifft 22 awr ar y tractor!

"Dwi'n cofio David yn deffro fi am 04:30 a rhoi potel o Coke a chreision i fi, a wedyn yn rhoi fi ar y tractor i droi'r tir a dweud y byddai'n ôl cyn hir. Amser cinio roedd yn dod draw â brechdan a diod i fi a wedyn fyswn i ddim yn ei weld o nes amser swper. Ro'n i'n cysgu wrth yr olwyn bob hyn a hyn ac roedd ambell i linell gam ar y tirlun!"

Mae'n cofio dychwelyd adref i wneud ei brawf gyrru a gorfod teithio'n ôl i Swydd Warwick am 03:30 y bore er mwyn bod ar y ffarm ar amser.

"Ges i hen Peugeot 405 Taid, a dwi'n cofio gyrru am y tro cyntaf ers pasio'r prawf gyrru y diwrnod cynt, a gorfod mynd i Warwickshire ar ben fy hun! Roedd y ci a'r map yn y sedd flaen ac es i ar goll! Dwi'n cofio gweld arwydd 'London 102 miles'! Wps! Roedd y draffordd yn her a hanner, doedd gen i ddim syniad be i'w wneud. Ond diolch byth, doedd dim llawer o geir ar y ffordd mor gynnar yn y bore!"

Tra oedd Wil yn mwynhau bywyd gwaith draw yn Lloegr roedd Aeron ar ail flwyddyn ei gwrs yn Llysfasi. Roedd dechrau'r ail flwyddyn yn dipyn o her i Aeron:

"Ges i *kick-out*! Ro'n i a fy ffrind wedi cael bai ar gam am godi *cat's eyes* o'r ffordd ac roedd yr heddlu'n credu mai ni oedd ar fai. Ro'n i wedi cael llond bol ar ôl hyn!"

Ond llwyddodd Aeron i gwblhau'r cwrs yn y pen draw, er nad oedd o wedi mwynhau. Y profiad gorau oedd dysgu bod ganddo ddawn i wneud i bobl ddieithr chwerthin, a dysgu'r ddawn o sgwrsio gyda phobl o wahanol lefydd:

"Ro'n i wedi arfer gwneud i fy ffrindiau ysgol chwerthin, ond roedd gwneud i bobl ddieithr chwerthin yn rhoi gwefr anferth i fi. Dyma'r profiad cyntaf o gynulleidfa ac ro'n i'n gwybod ar ôl hynny fy mod i eisiau gwneud rhywbeth efo'r ddawn yma."

Aeth Aeron ymlaen i wneud gradd mewn Amaeth yng ngholeg WAC, Aberystwyth. Roedd nifer o'i ffrindiau ysgol wedi cwblhau eu cwrs Lefel A ac roedden nhw hefyd yn mynd i'r coleg yn Aberystwyth.

"Roedd Wil yn dod adref o Warwickshire ambell i benwythnos er mwyn dod allan i yfed efo ni, ond ro'n ni'n feddw erbyn iddo gyrraedd ar bnawn Sadwrn, felly do'n ni ddim yn cael cyfle i ddal i fyny'n iawn. Roedden ni'n byw bywydau ar wahân yn ystod y cyfnod yma."

Chwe mis i mewn i'r cwrs coleg yn Aberystwyth, roedd Aeron wedi gwario ei holl fenthyciad myfyrwyr.

"Roedden ni'n cael mynd i ffwrdd am chwe mis i wyna fel rhan o'r cwrs, a wnes i ddim dychwelyd wedyn. Ro'n i'n eitha da am gneifio ac yn awyddus i ddatblygu'n gneifiwr heb ei ail fel Dad ac ro'n i'n mwynhau ennill cyflog. Felly dyna ddiwedd ar fy nghyfnod i yn y coleg a wnes i fyth droi'n ôl."

3

Cneifio

ROEDD AERON WEDI BOD yn dilyn John, ei dad, i gystadlaethau cneifio ers pan oedd yn blentyn, ac wastad wedi ymddiddori yn y grefft a'r cystadlu.

Pan oedd yn 17 oed dechreuodd Aeron gystadlu yn y categori iau ar y gylchdaith gneifio. Roedd o'n gyffrous tu hwnt pan gyrhaeddodd rownd derfynol y bencampwriaeth iau yn y gystadleuaeth fwyaf un yng Nghorwen yn 1998. Roedd wedi cyrraedd y 6 olaf allan o 60 o gneifwyr, ond yn anffodus ni lwyddodd i ddod i'r brig fel ei dad.

"Ges i chweched allan o chwech. Ro'n i yn y safle olaf ac yn siomedig iawn, ac yn gorfod gweithio'n galed i ddal y dagrau'n ôl er mwyn cadw rhywfaint o hunan-barch. Dwi'n cofio Mam yn dweud da iawn a fy ymateb i oedd dweud na, o'n i'n shit a dwi'n mynd i Seland Newydd i feistroli'r grefft."

Mae cneifwyr Seland Newydd yn cael eu cydnabod fel goreuon y byd. Mae'n wlad braf, felly mae'r tywydd yn addas i gneifio trwy'r flwyddyn. Mae'r ffermydd yn Seland Newydd yn anferthol, ac mae digon o waith.

Mae cneifwyr o Gymru wedi bod yn teithio i Seland Newydd i ddysgu'r grefft ers blynyddoedd maith. Yn yr un modd, mae cneifwyr o Seland Newydd wedi bod yn teithio i Gymru i helpu yn ystod y tymor cneifio. Mae Aeron yn cofio nifer o gneifwyr Seland Newydd yn aros gyda nhw ar ffarm Gwernbere.

"Roedd Dad ymhlith y gorau ym Mhrydain ond roedd o a fi'n addoli cneifwyr Seland Newydd! Dwi'n cofio'u gwylio nhw'n cneifio efo Dad. Roedden nhw'n anhygoel, mor gyflym ac mor daclus. Ro'n i'n rhyfeddu atyn nhw."

Hedfanodd Aeron i Seland Newydd a threulio chwe mis yn Dannevirke, tua awr o ardal Wellington. Roedd hi'n ardal galed, ond dyma lle roedd y cneifwyr ifanc yn mynd i ddysgu ac ymarfer eu crefft, oherwydd bod cymaint o waith cneifio yno. Doedd dim *glamour* yn perthyn i'r ardal na'r bobl ond roedden nhw'n gweithio'n galed.

Wrth lanio yn Seland Newydd y drefn yw bod y trefnwyr lleol yn lleoli'r cneifwyr ifanc mewn ffermydd penodol am gyfnod. Mae hyn yn lladdfa gan fod yn rhaid i'r bechgyn ifanc gneifio o fore gwyn tan nos. Ond dyna'r ffordd orau o ddysgu a meistroli'r grefft.

Daeth cyfnod Wil yn Swydd Warwick i ben, ac ar ei noson olaf aeth y teulu allan am swper i ffarwelio a diolch iddo am ei waith. Ond roedd hi'n noson i'w chofio am byth – am reswm anffodus iawn.

"Cawson ni ddamwain car ar y ffordd adref a bu farw mab y teulu. Blwyddyn yn iau na fi oedd o ac roedden ni'n ffrindiau da. Wnes i bopeth fedrwn i i'w achub o, fi roddodd *mouth to mouth* iddo, ond doedd dim gobaith. Roedd hwn yn drobwynt yn fy mywyd."

Bu Wil yn isel iawn ar ôl y profiad, ac wedi dychwelyd adref i Hendreseifion penderfynodd fod yn rhaid byw bywyd i'r eithaf, mwynhau a gwneud yr hyn roedd o'n dymuno'i wneud o hynny ymlaen.

Fel Aeron, roedd Wil yn gneifiwr da, ac roedd o wrth ei fodd pan gafodd gynnig swydd yn cneifio o amgylch ffermydd Bro Ddyfi gyda'r ffarmwr lleol, Aled Brynclygo.

"Roedd Aled yn dipyn o ges ac roedden ni'n gweithio'n galed ac yn chwerthin yn galed trwy'r dydd! Trosglwyddodd Aled y cytundeb cneifio i fi yn y pen draw ac roedd hynny'n fraint."

Penderfynodd Wil ei fod eisiau teithio, ac aeth Einion Blaenplwyf ac yntau i Awstralia a Seland Newydd am bedwar mis. Roedd wedi bod yn ffodus iawn i deithio i'r Alban, yn ogystal â Chymru a Lloegr, gyda'i rieni pan oedd yn fach. Roedd ei fam yn wych am drefnu tripiau llawn antur, ac ar ôl y ddamwain, roedd Wil yn barod i weld y byd.

Bu Wil ac Einion yn aros ar nifer o ffermydd yn Awstralia a Seland Newydd, ac yn mwynhau gweithio rhywfaint er mwyn cael llety am ddim. Un diwrnod, pan oedd yn ymweld ag Ayres Rock, daeth bachgen lleol at Wil a gofyn iddo chwarae mewn gêm rygbi y noson honno! Roedd un o'r chwaraewyr yn heddwas, ac wedi cael ei saethu, ac roedden nhw angen rhywun i gymryd ei le. Camodd Wil i'r tîm a sgorio cais! Roedd yr Alice Springs Cubs wedi gwirioni efo fo.

Roedd Wil ac Einion wedi trefnu i fynd i weld Aeron yn Seland Newydd, ond wedi glanio ar y ffarm cafodd Wil sioc wrth weld Aeron.

"Un tenau oedd Aeron erioed ond roedd o'n llai nag erioed rŵan! Roedd ei asennau i'w gweld ac roedd o'n welw. Ro'n i'n poeni amdano."

Roedd y byd cneifio cyflym a'r oriau hir ar y ffarm ddefaid yn Seland Newydd wedi cael effaith ar Aeron. Roedd o wedi colli pwysau, yn ddim ond naw stôn, yn wan ac yn sâl. 'Nôl yng Nghymru byddai gofyn i fechgyn o'i safon o gneifio tua 150 o ddefaid y diwrnod, ond yn Seland Newydd roedd rhaid anelu at 250 y diwrnod.

"Ges i ymweliad gan Wil ac Einion a rhai o fois Llysfasi, ac roedden nhw i gyd yn synnu pa mor fach o'n i. Aeth rhai yn syth i'r siop i brynu bwyd a choginio pentwr o brydau a mynnu 'mod i'n eu bwyta nhw! Do'n i ddim wedi sylweddoli pa mor sâl a gwan o'n i cyn hyn!"

Wedi dychwelyd adref o Seland Newydd, roedd Aeron yn awyddus iawn i arddangos ei sgiliau cneifio newydd i'w dad.

"O'n i mor falch o 'ngallu i gneifio'n well ac yn sicr, byddai Dad wedi'i blesio. Ond y sylw ges i ar ôl cneifio fy nafad gyntaf o'i flaen oedd: 'Ti wedi dysgu sut i adael mwy o wlân ymlaen!' Typical Dad – yn gweld bai a byth yn canmol!"

Llwyddodd Aeron i ennill y bencampwriaeth cneifio iau yn Sioe Frenhinol Cymru ym 1999, felly roedd hi'n werth yr holl chwysu a'r oriau hir. Mae Wil ac Aeron yn parhau i gneifio hyd heddiw, ac mae Wil yn parhau i gystadlu mewn cystadlaethau ar y penwythnos. Mae'r ddau'n cydnabod nad ydyn nhw cystal â John Gwernbere... ond mae Aeron yn dal i drio a ddim am ildio!

4

Llwyfan y Clwb Ffermwyr Ifanc

"Cyn mynd i'r Clwb Ffermwyr Ifanc ro'n i'n casáu bod ar lwyfan, ond wedyn roedd pobl yn gorfod fy llusgo i oddi ar y llwyfan!"

Mae'n siŵr bod profiad Wil o'r Clwb Ffermwyr Ifanc yn debyg iawn i brofiad nifer o bobl ifanc ar hyd a lled Cymru. Does dim dwywaith bod y mudiad wedi rhoi llwyfan i nifer o bobl ifanc i arbrofi a dysgu crefft, ac mae Wil ac Aeron yn cytuno mai dyma lle cafodd y ddau flas ar berfformio a bod ar y llwyfan am y tro cyntaf.

Roedd y ddau yn aelodau o Glwb Ffermwyr Ifanc Bro Ddyfi, oedd yn cwrdd un noson yr wythnos yn Neuadd Gymunedol Glantwymyn, drws nesaf i'r ysgol gynradd. Daeth y ddau yn aelodau yn eu harddegau cynnar, ond doedd yr un o'r ddau yn awyddus i gystadlu a pherfformio ar y dechrau.

Fel sawl plentyn yng nghefn gwlad, y Clwb Ffermwyr Ifanc oedd profiad cyntaf Wil ac Aeron o gymdeithasu. Yn ôl Aeron:

"Fel aelodau ifanc, roedden ni yng nghysgod yr aelodau hŷn, yn eu haddoli nhw a'u hiwmor a'u gallu i droi eu dwylo at bopeth – o ganu ar y llwyfan i gystadleuaeth siarad cyhoeddus i farnu stoc a'r pantos. Roedd Wil a fi yn y cefndir, yn dawel bach ar y dechrau!"

Roedd Clwb Ffermwyr Ifanc Bro Ddyfi ymhlith y mwyaf llwyddiannus yng Nghymru, ac mae'n dal i fod hyd heddiw. Roedd tua 80 o aelodau yn cwrdd bob wythnos ac nid dim ond ffermwyr – roedd yn denu holl ferched a bechgyn cefn gwlad.

"Ro'n i bob amser yn swil efo'r merched!" meddai Wil. "Roedd Aeron yn llawer mwy hyderus na fi. Dim ond eu hedmygu nhw o bell o'n i. Roedd genna i fwy o edmygedd at y bechgyn hŷn yn y clwb fel Dafydd Maesllwyni, Dafydd Post, Wini y Goedol, Dafydd Maesterran, Endaf a Iestyn Meddins ac Aled Griffiths – nhw oedd y rhai doniol, arweinwyr y pac, ac ro'n i eisiau bod fel nhw!"

Doedd dim modd mynd i'r clwb ar ôl mynd i'r coleg, ond wedi dychwelyd adref o Seland Newydd ac ailgartrefu ym Mro Ddyfi, daeth Wil ac Aeron yn aelodau eto, a'r tro hwn, roedden nhw'n rhan o'r criw hŷn. Doedd yr un ohonynt yn awyddus i berfformio eto, yn enwedig Wil.

"Ro'n i'n mwynhau gwneud i bobl chwerthin yn y dosbarth neu o fewn y gang, ond ddim yn mwynhau pobl yn edrych arna i. Dwi'n cofio rhedeg oddi ar y llwyfan sawl tro yn yr ysgol uwchradd pan o'n i i fod i ddarllen geiriau cân neu weddi fel rhan o'r gwasanaeth! Ro'n i wir yn teimlo'n sâl wrth feddwl am y peth."

Daeth hi'n dipyn o syndod iddo felly pan ofynnodd rhai o'r criw hŷn i Wil ymddangos yn y perfformiad hanner awr o adloniant. Roedden nhw wastad yn chwerthin ar Wil ac yn credu bod ganddo'r ddawn a'r amseru perffaith i berfformio'n fyw ar lwyfan.

"Ro'n i'n synnu'u bod nhw wedi gofyn i fi, achos fi oedd yr unig un o'n criw ni oedd wedi cael cynnig rhan fawr yn y sioe. Roedd hi'n dipyn o fraint ac ro'n i'n methu gwrthod. Roedd y profiad fel tröedigaeth, ac roedd clywed pobl yn chwerthin ar fy llinellau fel cyffur! Ro'n nhw'n gorfod llusgo fi oddi ar y llwyfan o hynny ymlaen!"

Yn 18 oed, roedd Wil yn dechrau arwain nosweithiau gyda'r Clwb Ffermwyr Ifanc. Roedd wedi gwylio'r bois hŷn yn gwneud hyn dros y blynyddoedd a byth yn meddwl y byddai o, Wil Swil, yn cael cyfle nac yn gallu ymdopi gydag arwain nosweithiau o flaen neuaddau llawn dop!

"Ro'n i'n anghofio fy llinellau weithiau ac yn dechrau sgwrsio gyda'r gynulleidfa i bontio, ac roedd hynny'n mynd lawr yn dda! Mae gen i steil unigryw o'i 'wingio hi' wrth ddweud jôcs, ac ro'n i'n cael modd i fyw wrth weld a chlywed ymateb y gynulleidfa. Fyswn i erioed wedi darganfod y dalent, os allwch chi'i alw fo'n hynna, oni bai am y Clwb Ffermwyr Ifanc."

Wrth iddyn nhw gymryd mwy o rôl yn y clwb, dechreuodd y ddau, a gweddill y criw ffrindiau, gael blas ar ysgrifennu sioeau a sgetsys. Roedden nhw'n cwrdd yng nghartref Aeron yng Nghomins Coch i sgriptio sioeau hanner awr o adloniant a phantomeim, ac er mawr syndod, roedden nhw'n cipio'r bencampwriaeth drwy Gymru!

Roedd Aeron hefyd yn gwneud tipyn o enw iddo'i hunan fel actor.

"Fues i'n ddigon ffodus i ennill y wobr am yr actor gorau yng Nghymru fwy nag unwaith. Doedd dim gwersi drama yn yr ysgol, felly roedd hyn i gyd oherwydd y Ffermwyr Ifanc. Mae 'nyled i a Wil i'r mudiad yn aruthrol."

Ryan Davies oedd un o arwyr mawr Aeron yma yng Nghymru. Roedd yn edmygu ei ddawn perfformio, ei hiwmor a'i amseru. Yn dilyn ei berfformiad yn rownd derfynol y gystadleuaeth pantomeim gyda'r Ffermwyr Ifanc yn Neuadd Dyfi, Aberdyfi yn 2006, mae'n cofio'r beirniaid, Stifyn Parry a Caryl Parry Jones, yn cymharu Aeron gyda'i arwr.

"Fyswn i byth yn meiddio cymharu fy hun gyda Ryan, ond roedd clywed Caryl Parry Jones yn dweud mai gweld fy mherfformiad i oedd un o uchafbwyntiau ei blwyddyn, a'i chlywed hi'n cymharu fi gyda Ryan, yn wefr a hanner. Dywedodd hefyd y byddai'n flin iawn os na fyddai'n fy ngweld i ar lwyfannau mwy yn y dyfodol agos!"

Roedd sylwadau Caryl wedi sbarduno Stifyn Parry i arwyddo Aeron ar gytundeb gyda'i asiantaeth, Mr Producer. Y diwrnod wedyn cafodd alwad gan Dai Jones Llanilar yn gofyn iddo fod yn westai ar *Cefn Gwlad*! Roedd y cyfan wedi digwydd dros nos, o ganlyniad i sylwadau Caryl Parry Jones yng nghystadleuaeth y Ffermwyr Ifanc!

5

Ar Gamera

ROEDD BYWYD YN DDA ac roedd Aeron yn gyffrous am ei gytundeb newydd gyda Mr Producer, ac yn mwynhau'r profiad o wneud *screen tests* a chlyweliadau ar gyfer rhaglenni gwahanol. Yn anffodus, doedd pethau ddim mor hawdd â'r disgwyl. Roedd rhywun arall yn cael y rhan bob tro, a doedd Stifyn Parry ac Aeron ddim yn cyd-weld o ran trywydd ei yrfa deledu.

"Ges i brofiadau da iawn gyda Mr Producer tra o'n i efo nhw, a'r uchafbwynt oedd perfformio fel rhan o gyngerdd dathlu pen-blwydd y Ffermwyr Ifanc yn 70 oed ar lwyfan Canolfan y Mileniwm. Dwi'n credu mai fi oedd y cyntaf, a'r olaf, i gneifio dafad ar y llwyfan yna!"

Yn 2009, a Wil ac Aeron bellach yn 29 oed a'r ddau yn ffarmio adref, cafodd Wil ei enwebu ar gyfer y rhaglen *Ar Gamera* –

fersiwn S4C o *Candid Camera* i ryw raddau – ond yn y rhaglen hon roedd criw teledu yn gwahodd y gwestai i fod yn rhan o sefyllfa ffug, heb yn wybod i'r gwestai ei hun.

Roedd y cynhyrchydd, Amanda Harries, wedi clywed gan dîm *Ar Gamera* bod Wil yn awyddus i gyflwyno rhaglenni teledu. Roedd hyn yn wir, roedd hynny'n freuddwyd gan Wil. Ond yn wahanol i Aeron, doedd neb wedi cael y cyfle i weld potensial Wil hyd yma.

Cafodd Wil alwad ffôn gan Amanda wedyn yn dweud bod y cwmni yn chwilio am gyflwynwyr teledu newydd sbon a'u bod nhw'n dod i ardal Machynlleth i wneud *screen tests*. Roedd Wil wrth ei fodd ac wedi neidio at y cyfle i ddangos ei ddoniau ar gamera am y tro cyntaf.

"Wnaethon nhw holi fi i wneud pob math o bethau gwirion ar y ffarm 'ma, gan gynnwys rhoi *baby oil* dros fy nghorff. Do'n i ddim wedi amau o gwbl mai tric oedd yr holl beth. Ro'n i'n cymryd y cyfan o ddifri ac yn gwneud fy ngore. Roedd y criw camera yn chwerthin ac yn mwynhau, felly ro'n i'n sicr fy mod i wedi gwneud digon i gael swydd."

Pan ddatgelodd y criw mai jôc oedd y cyfan, a datgelu mai dau ffrind da iddo oedd wedi ei enwebu, roedd Wil yn flin iawn.

"Ro'n i wedi gwylltio'n lân efo nhw, mor siomedig. Roedden nhw wedi gwneud hwyl am fy mhen i, wedi bychanu fy mreuddwyd o gael gwaith ar y teledu, ac roedd hynny'n brifo. Dwi'n siŵr bod Aeron yn y mics yn rhywle, a Llion ei gefnder."

Yn ffodus i Wil, roedd y criw teledu'n credu ei fod wedi gwneud yn wych ac roedden nhw'n awyddus i gael sgwrs ag o i drafod syniadau. Roedd wedi creu argraff fawr arnyn nhw!

"Fi gafodd y *last laugh*!" chwarddodd Wil.

Daeth Amanda yn un swydd i Fro Ddyfi i gwrdd â Wil, ac Aeron, oherwydd roedd Aeron hefyd wedi sôn wrthi bod ganddo syniadau am raglenni. Yn ystod y cyfarfod yn nhafarn y White Lion ym Machynlleth, roedd hi'n amlwg bod syniadau Wil ac Aeron yn wahanol i'w gilydd. Roedd Aeron eisiau canolbwyntio ar y Ffermwyr Ifanc, tra oedd Wil yn awyddus i deithio'r byd yn cwrdd â ffermwyr a llwythau brodorol oedd yn trin y tir, fel y ffermwyr yn Norwy oedd yn hela ceirw. Roedd Wil eisiau clywed am eu profiadau a chael blas ar y byd amaeth mewn rhannau eraill o'r byd.

Roedd Amanda Harries o Hay Productions yn uwch-gynhyrchydd ar raglenni teledu S4C o'r Sioe Frenhinol ar y pryd. Yn dilyn y cyfarfod gyda Wil ac Aeron, penderfynodd gynnig cytundeb i'r ddau i gyflwyno eitemau gwahanol ar raglenni'r Sioe ar S4C.

"Ryden ni'n dau yn fois Sioe. Mae Wil a fi wedi bod yn mynd i'r Sioe Frenhinol gyda'n teuluoedd ers oedden ni'n blant, ac wedyn i yfed a chystadlu efo'r cneifio. O'n i'n poeni braidd am gyflwyno'r rhaglenni rhag ofn y bydden ni'n dod drosodd fel idiots ac yn gwneud ffyliaid o'n hunain o fewn y gymdeithas ffarmio."

Aeron oedd yn gyfrifol am gyflwyno'r pecynnau 'y tu ôl i'r llenni', yn dod i adnabod cymeriadau a chael y clecs:

"Roedd o'n fflop llwyr! Doedd neb yn fodlon datgelu dim o'r cyfrinachau, ac ro'n i'n teimlo'n *awkward* yn herio ffermwyr a finne'n un ohonyn nhw!"

Roedd Wil yn cyfweld cystadleuwyr cyn ac ar ôl iddyn nhw arddangos eu gwartheg:

"Dwi'n gyfarwydd iawn efo cylch y gwartheg yn y Sioe Frenhinol. Ro'n i'n treulio bob haf yno achos bod Mam a Dad yn gyfrifol am stondin y gwartheg gleision wrth ymyl y cylch. Ond do'n i ddim yn gyfforddus yn cyfweld pobl, yn enwedig ar ben fy hun. Dydy o ddim mor hawdd ag mae o'n edrych ar y teledu!"

Un min nos ar ôl gorffen ffilmio, gofynnodd y cyfarwyddwr teledu Rhys D. Williams i Aeron a fyddai'n ystyried cyflwyno rhaglenni plant.

"Do'n i erioed wedi ystyried y peth, a wnes i ddweud wrtho nad o'n i wir yn *keen* ar blant gan nad o'n i wedi cydweithio gyda phlant o'r blaen."

Er yr ymateb negyddol, cytunodd Aeron i wneud *screen test* y noson honno. Roedd Rhys wedi bod yn datblygu syniad am gyfres i blant yn seiliedig ar fôr-leidr. Digwydd bod, roedd gan Aeron wig môr-leidr yn ei gar, oherwydd roedd o wedi gwisgo'r wisg mewn gŵyl gwisg ffansi yn Llanidloes yn ddiweddar iawn!

"Ro'n i wedi cael cwpwl o beints cyn gwneud y *screen test* a do'n i ddim wir yn gwybod be i'w wneud, ond wnes i'r darn i gamera efo'r wig dwl ar fy mhen, ac roedd Rhys wedi'i blesio. Ond gorfod i fi ail-wneud y darn oherwydd fy mod i'n dal can o lagyr yn fy llaw yn yr un cyntaf! Do'n i ddim yn dychmygu y byddai'r digwyddiad *tipsy* yna yn y Sioe yn arwain at gyflwyno rhaglen *Ben Dant* ar S4C. Mae'n un o raglenni mwyaf poblogaidd Cyw erbyn hyn. Dwi wrth fy modd yng nghanol plant erbyn hyn hefyd!"

Yn dilyn eu perfformiad yn y Sioe Frenhinol, doedd Wil ac Aeron ddim yn ffyddiog eu bod nhw'n mynd i gael mwy o waith teledu, ond yn ffodus, roedd Amanda'n meddwl yn wahanol.

"Am ryw reswm mae Amanda wedi cefnogi Aeron a fi o'r cychwyn cyntaf. Mae'n berson arbennig iawn, wastad yn bositif ac yn magu hyder ynddon ni'n dau ers y cychwyn. Mae hi wedi buddsoddi amser ac amynedd ynddon ni ar hyd y blynyddoedd. Nid tasg hawdd ydy troi dau ffarmwr yn ddau gyflwynydd!"

Cynigiodd Amanda i Wil ac Aeron gyflwyno'r cyfweliadau gefn llwyfan gyda'r cystadleuwyr yng nghystadleuaeth Pantomeim Cymru gyda mudiad y Ffermwyr Ifanc. Dyma'r tro cyntaf i'r ddau gyflwyno gyda'i gilydd.

Er bod y ddau'n deall ei gilydd yn dda, maen nhw'n cydnabod bod cydgyflwyno yn sgìl a hanner. Mae'n anodd gwybod pwy sy'n mynd i ofyn be, a pryd mae'n amser i'r naill a'r llall dorri i mewn i'r sgwrs heb dorri ar draws ei gilydd. Mae'r ddau'n dweud eu bod nhw'n dal i gael trafferth efo hyn rŵan.

"Pan oedd Wil yn holi cwestiwn, ro'n i'n meddwl am y cwestiwn nesaf. Ond yn aml iawn bydde Wil yn holi'r cwestiwn hwnnw a *vice versa*. Mae'n anoddach cydgyflwyno ond ar yr un pryd, mae'r gynulleidfa'n hoffi'n perthynas ni ac ryden ni'n gryfach efo'n gilydd."

Her arall i Wil wrth gyflwyno'r rhaglen ar bantomeim y Ffermwyr Ifanc oedd cofio lincs a darnau i gamera:

"Ers dyddiau ysgol, dwi'n stryglo i ddysgu a chofio llinellau. Yn wahanol i arwain nosweithiau pan ydech chi'n gallu adlibio i raddau, mae angen cofio'r lincs a chael yr amseru'n iawn. Ro'n i wir yn anobeithiol efo hyn ar y dechrau ac roedd yn rhaid ail-wneud popeth sawl gwaith."

Roedd ymateb Amanda a'r gynulleidfa i berfformiad Wil ac Aeron yn dda iawn. Ond yn anffodus, doedd dim rhaglenni eraill ar y gorwel oherwydd roedd S4C wedi gwrthod y syniad am Wil ac Aeron yn teithio'r byd yn cwrdd â chymunedau amaethyddol.

Yn ffodus, roedd un mab ffarm o'r gogledd, y cyflwynydd a'r digrifwr Tudur Owen, yn gefnogol iawn i'r ddau. Roedd Aeron eisoes wedi ymddangos ar rai o'i raglenni radio ac roedd Tudur wedi mentora'r ddau trwy'r Clwb Ffermwyr Ifanc. Felly, roedd Wil ac Aeron wrth eu bodd bod Tudur wedi gwahodd y ddau i fod yn westeion ar ei raglen *Sioe Tudur Owen* ar S4C.

"Dwi'n cofio Aeron a fi'n sgwrsio efo Tudur cyn y rhaglen ac yn esbonio bod S4C wedi gwrthod y syniad am raglen deithio. Heb yn wybod i ni, fe benderfynodd Tudur orffen ein cyfweliad ar ei raglen trwy ddweud, 'Mae isio i chi'ch dau gael cyfres deithio'. Diolch i Tudur, fe ofynnodd S4C i Amanda ailgyflwyno'r syniad a chafodd y syniad ei gomisiynu! Mae'n anhygoel sut mae'r pethau yma'n gweithio a dwi'n dal i ddiolch i Tudur Owen. Meibion ffermydd yn cefnogi ei gilydd!"

6

Gwlad y Ceirw

GAYNOR DAVIES OEDD COMISIYNYDD S4C ar y pryd, ac roedd Wil ac Aeron yn *star struck* wrth feddwl bod cyn-gyflwynydd un o'u hoff raglenni plant, sef *Hafoc,* wedi rhoi'r golau gwyrdd i gynhyrchu'r rhaglen *Wil ac Aeron – Gwlad y Ceirw* yn 2013.

"O'n i'n methu credu bod fy syniad i wedi ei gomisiynu gan S4C!" chwarddodd Wil. "Fues i'n amau am sbel ai jôc arall oedd o. Oedd Amanda ac Aeron yn chwarae tric arna i unwaith eto? Fues i'n amau hynny yr holl ffordd i Heathrow!"

Roedd y ddau'n teimlo'n gyffrous, yn nerfus ac yn amheus am wythnosau cyn mynd. Roedd hi'n agoriad llygad i weld sut roedd y criw cynhyrchu yn datblygu'r syniadau ac yn trefnu'r holl raglen.

"Ro'n i a Wil yn meddwl bydde'n rhaid i ni fod yn *hands on* efo'r paratoi. Ond roedd yr ymchwilwyr a'r staff yn Hay Productions a Cwmni Da yn trefnu'r cyfan, yn troi syniad Wil a'n dymuniadau ni'n dau yn realiti. Mae'n anhygoel faint o waith trefnu sydd yn mynd i mewn i raglenni teledu ac mae trefnu rhaglen yn Norwy o swyddfa yng Nghaernarfon yn dipyn o gamp."

Y nod oedd cynhyrchu un rhaglen ddogfen yn dilyn y ddau ffarmwr o Fachynlleth wrth iddyn nhw deithio i'r Arctig a threulio ychydig ddyddiau yn helpu'r ffermwyr lleol, y bobl Sami, i ffarmio'r ceirw yn yr eira mawr. Roedd y rhaglen yn mynd i gael ei darlledu ar S4C ar noswyl Nadolig, felly rhwng popeth roedd cryn dipyn o bwysau ar bawb i gael hon yn iawn!

Mei Williams oedd y dyn camera a'r cyfarwyddwr – mae wedi ennill BAFTAs am ei waith – ac roedd yntau, fel Emyr Jones, y dyn sain, ac Amanda, cynhyrchydd y rhaglen, yn griw profiadol ac uchel eu parch. Doedd Wil ac Aeron ddim wedi cwrdd â Mei nac Emyr nes iddyn nhw eu gweld nhw yn Heathrow. Yn ffodus, fe wnaethon nhw glicio yn syth.

Roedd y daith awyren draw i Norwy yn gyffrous ac roedd Wil ac Aeron yn methu credu eu bod nhw'n hedfan draw yno fel cyflwynwyr teledu, y cyfan wedi ei drefnu a'i dalu amdano. Wrth weld prydferthwch Norwy o'r awyr am y tro cyntaf, roedd Wil yn gwybod nad jôc mohoni – roedd gwaith go iawn i'w wneud ar ôl glanio!

"Roedden ni'n aros yn y cabanau pren anhygoel yma yn Karasjok a phawb mor glên efo ni. Ond wrth weld y camera'n dod allan am y tro cyntaf a finnau'n gorfod gwneud darn i gamera, ro'n i wir yn cachu pants a ddim eisiau gadael Aeron a'r criw i lawr!"

Mae Wil ac Aeron yn cofio sut roedd gan Mei weledigaeth benodol ar gyfer y rhaglen – yn feistr ar ei grefft roedd wedi paratoi'n drylwyr.

"Roedd hwn yn brofiad hollol wahanol i ffilmio yn y Sioe ac ym mhantos y Ffermwyr Ifanc. Roedd Mei yn greadigol iawn ac yn creu sefyllfaoedd inni ymateb iddyn nhw, ac ymateb i'n gilydd. Roedd y rhaglen am ein profiad ni, ein siwrne bersonol ni, ac roedd yn rhaid i ni fod yn ni'n hunain ar yr un pryd. Doedd y dasg ddim yn dod yn hawdd i Wil a fi ar y dechrau."

Wrth i'r amser fynd yn ei flaen, dechreuodd

Wil ac Aeron ymlacio a mwynhau'r profiad. Doedd y ffilmio, serch hynny, ddim yn hawdd, oherwydd roedd y tywydd garw, yr eira mawr a'r tirlun eang yn heriol i bawb.

Bu'r ddau'n cyfweld teulu Sami yn eu cartref ac yna'n eu helpu i symud y ceirw am hanner nos. Doedden nhw na'r criw ddim wedi cael llawer o gwsg ac ar ben hynny, roedden nhw'n colli'r ceirw yn y coed! Doedd dim modd esgus neu ailosod pethau ar gyfer y rhaglen hon, roedd rhaid ffilmio'r pethau yma fel roedden nhw'n digwydd – y realiti go iawn!

Un o uchafbwyntiau Wil oedd mynd ar y Ski-Doos i ŵyl Sami. Roedd yr ŵyl 90 milltir o Karasjok. Roedd yn rhaid gwisgo'r dillad Sami trwchus a theithio draw trwy'r eira mawr. Hwn oedd uchafbwynt cymdeithasol cymdeithas y Sami – fel yr Eisteddfod Genedlaethol ond heb y perfformio!

"Roedd o'n anhygoel! Ro'n i'n teimlo fel plentyn bach yn reidio'r Ski-Doo trwy'r eira ac yn methu credu fy mod i'n cael fy nhalu i wneud hyn! Wedi cyrraedd yr ŵyl roedd popeth fel pictiwr – tipis anferthol yn yr eira, canu ac awyrgylch braf ofnadwy.

Ro'n i eisiau peint ond roedd gan y Sami *zero tolerance* i alcohol... ac ro'n i yno i weithio, nid i fwynhau, ar ddiwedd y dydd!"

Roedd y dull o symud y ceirw ar y Ski-Doos ar y tirlun eang, a'r cyfan dan flanced o eira trwchus, yn agoriad llygad i'r ddau ffarmwr o Fachynlleth. Roedd gan y ddau barch mawr at y Sami, ac roedd profi'r heriau yn gwneud iddyn nhw werthfawrogi symlrwydd ffarmio 'nôl adref yng Nghymru.

Roedd gwybodaeth y Sami am eu tirlun yn rhyfeddu Wil ac Aeron. Roedden nhw'n deall byd natur o'u cwmpas, yn deall y tymhorau a'u heffaith ar y stoc a'r tir. Dyna sut roedd pethau yng Nghymru flynyddoedd yn ôl, ac wrth eu helpu nhw gyda'r gwaith a dysgu eu crefft, mae Wil yn cofio meddwl sut roedd o'n benderfynol o drosglwyddo'r crefftau amaethyddol i'w blant, petai'n ddigon ffodus i ddod yn dad ryw ddiwrnod.

"Mae bywydau'r Sami yn llawer mwy syml na'n bywyd ni. Dysgodd Wil a fi fod y gallu ganddyn nhw i oroesi ym mhob tywydd a phob sefyllfa achos bod ganddyn nhw wybodaeth mor drylwyr o'u crefft a'r tirlun. Wnaethon ni ddysgu llawer iawn o bethau yn ystod y siwrne. Dwi'n ceisio atgoffa fy hun o'r rheiny o bryd i'w gilydd, achos mae'n hawdd iawn anghofio'r gwersi pwysig 'ma."

Pan oedd y ffilmio wedi dod i ben am y dydd, roedd y ddau'n mwynhau cymdeithasu gyda'r teuluoedd Sami a'r criw ffilmio. Roedd Wil wrth ei fodd yn clywed straeon Emyr, y dyn sain, oedd yn chwarae'r allweddellau i'r grŵp Big Leaves ac wedi chwarae yn y V Festival gyda'r brodyr Gallagher! Roedd llawer o dynnu coes wrth gymharu profiadau Emyr a'r Big Leaves gyda phrofiad Aeron o ganu yn y band Hufen Iâ Poeth yn ardal Machynlleth! Bu Aeron hefyd yn defnyddio ei ddawn weldio i drwsio sled un noson!

Treuliodd y ddau naw diwrnod yn ffilmio'r rhaglen, a hyd heddiw mae Aeron yn rhyfeddu bod Mei wedi ffilmio 48 awr o ffilm ar gyfer rhaglen 48 munud.

"Oherwydd natur y rhaglen a'r syniad o ddilyn ein siwrne ni, roedd yn rhaid i Mei ffilmio popeth. Yr eiliadau annisgwyl ydy'r goreuon yn aml iawn ac mae'n amhosibl gwybod pryd mae'r rhain yn mynd i ddigwydd."

Ar noson olaf y daith, digwyddodd uchafbwynt arall i Wil. Yn dilyn wythnos heb gawod na bwyd go iawn, cafodd pawb gynnig cawl elc, neu *moose*. Roedd Mei yn llysieuwr ond wrth ogleuo'r wledd o'i flaen, roedd am fwyta'r cig oherwydd roedd yn llwgu! Roedd gweld llysieuwr yn mwynhau cig yn rhoi gwefr i Wil ac Aeron, ac mae'r ddau'n hapus bod Mei wedi rhoi'r gorau i'r deiet llysieuol byth ers hynny!

Wedi hedfan adref, tasg Mei ac Amanda oedd troi'r holl ffilmio yn rhaglen 48 munud. Roedd Aeron wedi penderfynu yr hoffai sgriptio'r trosleisio. Wedi cael hwyl ar sgriptio sioeau gyda'r Ffermwyr Ifanc roedd yn hyderus, ond roedd y realiti yn hollol wahanol!

"Dwi wedi dysgu erbyn hyn mai *less is more* sy'n gweithio orau efo trosleisio! Ro'n i'n trio bod yn rhy ddoniol, yn rhy glyfar a rhoi gormod o jôcs i mewn a doedd o ddim yn gweithio!"

Roedd Wil yn casáu recordio'r troslais.

"Mae'n anodd cyfleu'r mŵd ar y sgrin wrth

recordio'r llais wythnosau yn ddiweddarach! Dwi ddim yn un da am actio, roedd Aeron yn lot gwell na fi."

Roedd y profiad o wylio'r rhaglen ar y sgrin fawr yn boenus i'r ddau hefyd! Ar noswyl Nadolig roedd Wil wedi dewis gwylio'r rhaglen mewn ystafell ar ei ben ei hun.

"Ro'n i mor *embarrassed*! Mae o mor anodd gwylio rhaglen amdanoch chi yn trio bod yn chi eich hunan. Mae'n llawer haws eich gwylio chi'n cyfweld pobl eraill."

Roedd Aeron yn methu gwylio'r rhaglen yn fyw oherwydd ei fod yn yr eglwys gyda'r teulu ar noswyl Nadolig – traddodiad pwysig, ac yn bwysicach na gwylio ei raglen deledu gyntaf!

"Dwi'n cofio'r ficer yn Darowen yn tynnu fy nghoes yn y gwasanaeth ac yn atgoffa pawb i wylio'r rhaglen ar ôl mynd adref! Wnes i wylio efo Nain a Taid ac ro'n i'n rhyfeddu faint o olygfeydd sydd yn gorfod cael eu gadael allan. Ro'n i'n falch o'r rhaglen ar y pryd ac mor ddiolchgar am y cyfle. Ond wrth edrych yn ôl dwi'n credu y gallwn i fod wedi gwneud yn well, ond dyna sut ydw i'n meddwl bob amser!"

Er bod Aeron yn dweud y gallai'r rhaglen fod yn well, roedd yr ymateb yn wych a'r ffigyrau gwylio yn uchel iawn. Roedd ymhlith y pum rhaglen fwyaf poblogaidd ar S4C yn ystod cyfnod y Nadolig. Roedd bod ar gyrion *Pobol y Cwm* a'r rygbi yn lle da i fod!

"Wnes i fyth ddychmygu bod darllen erthygl am ffermwyr Sami a'u ceirw yn un o gylchgronau *National Geographic* Mam pan o'n i'n fachgen bach yn mynd i arwain at gael bod yn Norwy, yn byw'r profiad efo nhw! Dwi'n falch iawn o'r rhaglen ac yn falch bod Aeron yna efo fi i rannu'r profiad."

7

Yr Andes a'r Incas

Meibion eu milltir sgwâr yw Wil ac Aeron, ac mae eu gwreiddiau'n ddwfn ym Mro Ddyfi. Tra oedd eu gyrfaoedd teledu'n datblygu – Aeron yn teithio Cymru yn perfformio fel Ben Dant, y môr-leidr, a Wil yn brysur yn rhedeg y ffarm yn Hendreseifion – roedd eu bywydau personol yn datblygu hefyd!

Nia Henllan, merch ffarm leol, yw gwraig Wil, a Lleucu Jones, athrawes ac wyres Tom Rees, cyn-brifathro ysgol gynradd Wil ac Aeron, yw gwraig Aeron. Yn fuan ar ôl dychwelyd o Norwy, fe briododd Wil a Nia, ac ie, Aeron oedd y gwas priodas. Ddwy flynedd yn ddiweddarach yn Awst 2015, priododd Aeron a Lleucu, ac ie, Wil oedd y gwas priodas!

Yn hytrach na mynd ar fis mêl gyda Lleucu, roedd yn rhaid i Aeron adael ei wraig newydd a hedfan i Beriw ym mhen draw'r byd i ffilmio'r rhaglen nesaf gyda Wil.

"Mae pobl yn dal i dynnu coes a dweud mai mynd ar fy mis mêl gyda Wil wnes i!"

Rhaglen ddogfen arall oedd hon, yn dilyn yr un trywydd â'r rhaglen gyntaf, ond y tro hwn roedd y lleoliad yn bell, ac yn ddieithr ym mhob agwedd.

"Roedd Wil wedi bod yn Chile, Ariannin a Brasil yn y gorffennol ond do'n i erioed wedi bod i unrhyw le tebyg i Beriw. Ni oedd y bobl wyn cyntaf i fod yng nghymuned wledig ardal y mynyddoedd ar gyrion Cusco, ac roedd hynny'n anrhydedd mawr."

Y nod y tro hwn oedd archwilio realiti bywyd a thraddodiadau ffermwyr Inca yn yr Andes. Hedfanodd Wil ac Aeron a Mei, a Cheryl Ingrid Jones, y ferch sain ac aelod newydd o'r tîm, o Lundain i Lima ac yna ymlaen i'r ardal anghysbell yn y mynyddoedd, er mwyn cyd-fyw gyda'r ffermwyr.

Bu'r ddau yn dioddef o salwch uchder, Wil yn waeth nag Aeron. Roedd cnoi y dail cacao yn helpu, ond roedd yn rhaid cymryd amser ac arfer efo'r uchder cyn symud o Cusco i'r gymuned amaethyddol.

Roedd bywyd yn galed iawn i ffermwyr

yr Incas. Doedd dim offer na pheiriannau. Roedden nhw'n byw yn uchel yn y mynyddoedd gwyllt ac roedd yn rhaid dibynnu'n llwyr ar yr hen grefftau a'r traddodiadau er mwyn goroesi. Roedd Aeron wrth ei fodd yn eu gwylio wrth eu gwaith:

"Roedd hi'n rhyfeddol eu gwylio nhw'n trin y tir a'r stoc heb unrhyw offer. Roedd yn gwneud inni sylweddoli faint mae pethau wedi datblygu 'nôl adref yng Nghymru."

Mae nifer o ffermwyr yng Nghymru yn gweithio'n annibynnol erbyn hyn oherwydd bod llai o arian a dim modd gwneud bywoliaeth yn llwyr o ffarmio'n unig. Ym Mheriw roedd gwaith tîm yn hollbwysig ac roedd Wil yn dweud bod y tîm fel peiriant:

"Roedd gan bawb ei rôl, pawb yn gwybod beth roedd o neu hi yn ei wneud. Pobl oedd y peiriannau. Roedden nhw'n anhygoel ac roedd bywyd mor syml a hapus a neb yn cwyno. Ryden ni'n bendant yn cwyno gormod yng Nghymru!"

Doedd dim modd dianc rhag y tlodi. Roedd Wil ac Aeron yn teimlo'n drist iawn wrth edrych ar yr amodau byw, y diffyg glendid a'r ffaith bod neb yno i helpu. Mae un profiad yn fyw yng nghof Wil hyd heddiw:

"Wrth yrru i fyny'r mynydd dwi'n cofio gweld dynes a'i phlentyn ar ochr y ffordd. Roedd y plentyn yn gwaedu o'r ysgwydd, yn amlwg mewn poen ond ddim yn cwyno. Ro'n i wedi torri pont fy ysgwydd ar feic modur flynyddoedd yn ôl ac yn cofio'r boen aruthrol. Roedd y plentyn yma wedi cael yr un anaf ond ddim yn crio, jyst yn dal i gerdded a dioddef. Arwr. Wnes i drio helpu, a dwi'n meddwl yn aml am y ddau a meddwl beth ddigwyddodd iddyn nhw wedyn. Mae'n rhaid inni gofio pethau fel hyn wrth feddwl am ein sefyllfa ni."

Ar y daith hon roedd yn rhaid mynd â chyfieithwyr gyda nhw, oherwydd doedd pobl ddim yn siarad Saesneg. Roedd y *fixers*, y bobl oedd yn trefnu popeth ar eu rhan nhw yn y wlad, wedi trefnu bwyd iddynt hefyd, oherwydd roedd y teuluoedd yn dlawd a doedd dim modd iddyn nhw fwydo'r criw.

Cawl oedd y bwyd dyddiol, bwyd plaen, oherwydd dyma'r unig beth roedd modd ei goginio dan yr amgylchiadau. Roedd amser bwyd yn amser pwysig i bobl yr Andes, ac os oedd cig yn cael ei goginio, roedd hyn yn ddefod fawr.

"Roedd defod cyn popeth, a dweud y gwir," meddai Aeron.

Y cwt tatws oedd cartref Wil ac Aeron yn ystod y cyfnod ffilmio, ac roedd y criw yn aros mewn pebyll gerllaw. Roedd y cwt yn fach ac yn ddrewllyd – mae tatws yn aros dan ddaear am flynyddoedd maith ac yn drewi. Ond, dan yr amgylchiadau, roedd hi'n fraint cael to uwch eu pennau.

"Roedd hi'n oeri'n ofnadwy yn y nos ac ro'n i'n cysgu efo sawl haen o ddillad. Ond roedd Wil yn methu cysgu efo'r *long johns* amdano!"

"Dwi'n datgelu rhywbeth i chi rŵan!" cyfaddefodd Wil. "Dwi'n cysgu'n noeth adref fel arfer ac felly roedd hi'n teimlo'n rhyfedd i gysgu mewn dillad! Wnes i gysgu'n llawer gwell heb y *long johns* a jyst cadw'r sach gysgu drosta i!"

Cynigiodd gwragedd y teulu Inca goginio pryd o fwyd i Wil ac Aeron. Doedd dim modd gwrthod. Crochan o ddŵr berw gydag choluddion a phibau anifeiliaid oedd y bwyd. Roedd yn edrych ac yn ogleuo'n afiach ond roedd Aeron yn benderfynol o'i fwyta:

"Ro'n i'n llowcio'r cyfan fel nad oedd rhaid i fi ei flasu, tra bod Wil yn ei fwyta'n araf. Roedd Mei a Cheryl yn eu dagrau'n chwerthin y tu ôl i'r offer, ac roedd yn rhaid i fi fynd allan o'r cwt a chwydu'r cyfan 'nôl i fyny!"

Er yr holl galedi a'r tlodi, roedd bywyd yr Incas yn hapus, a'r teulu'n ganolbwynt i bopeth. Mae Wil ac Aeron yn cyfaddef eu bod nhw wedi chwerthin a chrio yn ystod y daith – roedd gweld y caledi'n anodd a dim modd iddyn nhw helpu.

"Roedd fy nhad yng nghyfraith wedi awgrymu y dylwn i fynd â gwellau cneifio draw gyda fi fel anrheg. Aeth Aeron i Drenewydd i brynu dau, ac roedden ni mor falch o'u rhoi nhw iddyn nhw. Roedden nhw mor ddiolchgar ac yn dweud y byddai'n newid eu gallu i gneifio am byth. Ro'n i wedi cynnig anfon mwy ar ôl mynd adref, ond mae'r llywodraeth yno mor llwgwr fydden nhw ddim yn cyrraedd ymhellach na'r maes awyr."

Roedd byw gyda'r Incas mewn cymuned

mor estron a'u helpu nhw gyda'r defaid, yr alpacas a'r lamas, yn brofiad arbennig iawn. Ac yn wahanol i Norwy, fyddai dim modd cael y profiad yma heb gael bod yn rhan o'r rhaglen deledu.

"Allwch chi dalu lot o bres i fynd i Norwy i fod efo'r Sami, ond fydde Aeron a fi heb gael y profiad yma gyda'r Incas oni bai ein bod ni'n cyflwyno'r rhaglen yma. Roedden ni'n teimlo'n freintiedig iawn, a dwi'n gobeithio ein bod ni'n cwyno llai ac yn gwerthfawrogi'r pethau syml mewn bywyd ers cael y profiad yma."

Cafodd y rhaglen ei darlledu yn ystod Nadolig 2015 ac unwaith eto, roedd Wil yn ei gwylio ar ei ben ei hun.

"Wnes i wrthod gadael i Nia eistedd efo fi achos hi ydy'r critic mwyaf sydd genna i!"

Roedd Aeron a Lleucu ar eu mis mêl yn Efrog Newydd ar noson y darllediad a doedd dim modd ei gwylio. Ond mae'n cofio troi'r ffôn ymlaen yn y gwesty a gweld yr ymateb ar Twitter.

"Roedd hi'n amlwg o'r ymateb bod y rhaglen hon wedi cyffwrdd pobl. Doedd pobl ddim wedi gweld yr ochr emosiynol i Wil a fi ar y sgrin o'r blaen ac roedd hyn wedi synnu'r gynulleidfa. Roedd hi'n gyfuniad o'r dwl a'r doniol a'r emosiynol a dwi'n teimlo mai hon ydy'r rhaglen ore hyd yma."

Yn goron ar y cyfan, cipiodd y rhaglen y wobr am y rhaglen adloniant ffeithiol orau yn yr Ŵyl Cyfryngau Celtaidd.

8

Yr Alban a'r Campyr Fan

BLE NESAF? DYNA OEDD y cwestiwn mawr ar ôl yr ymateb gwych i'r rhaglenni.

"Yn ffodus, roedd y gynulleidfa ac S4C yn awyddus i weld mwy o Wil a fi ar y sgrin, ac roedd gan Amanda o Hay Productions a Neville o Gwmni Da syniad gwych ar ein cyfer!"

Roedd hi'n freuddwyd oes i Wil ac Aeron i fynd i deithio'r Alban i weld sut roedd y ffermwyr yno yn ffarmio'r stadau anferth. Wrth gyfarfod Wil ac Aeron yn Hendreseifion, ffarm a chartref Wil, datgelodd Amanda a Neville y syniad.

"Roedden nhw eisiau i Aeron a fi fynd o amgylch yr Alban a gwneud cyfres yn lle un rhaglen. Roedd hyn yn gyffrous achos mae ffermwyr yr Alban yn fois a hanner! Roedden nhw eisiau inni fynd i'r Alban 'go iawn', yr ucheldir, a theithio mewn campyr fan!"

Soniodd Wil fod hen gampyr fan ganddo yn y sied.

"Hen groc o gerbyd oedd o. Wnes i'i ddweud o fel jôc achos prosiect oedd y fan yma, yn llawn llwch ac yn rhacs a dweud y gwir. Pan welodd Neville y fan, roedd o fel *lightbulb moment* ac roedd o'n bendant mai yn hon fydden ni'n teithio'r Alban! Do'n i ddim yn siŵr beth i'w ddweud!"

Roedd Aeron yn amheus o'r campyr fan o'r cychwyn cyntaf.

"Dwi ddim yn snob o bell ffordd, ond dwi ddim yn berson gwersylla, yn enwedig mewn campyr fan rhacs oedd â tholc mawr ar un ochr, diolch i Huw, tad Wil, oedd wedi gyrru mewn iddi efo un o'r peiriannau ffarm! Do'n i ddim wir eisiau rhannu gwely bach efo Wil chwaith. Mae 'na ffin i bob cyfeillgarwch wedi'r cyfan!"

Er gwaethaf y ffaith fod y fan yn rhacs, roedd y criw cynhyrchu yn benderfynol mai'r hen Volkswagen T25 fyddai cyfaill newydd Wil ac Aeron ar y daith o amgylch yr Alban. Yn hon y bydden nhw'n gwneud y daith a hon fyddai eu gwesty. Bydden nhw'n treulio sawl noson yn cysgu mewn maes parcio tra oedd y criw cynhyrchu – Amanda,

Mei, ac Alaw yr is-gynhyrchydd – yn cysgu ym moethusrwydd gwesty gerllaw!

Roedd yn rhaid ailadeiladu rhannau o'r fan a thacluso'r tu mewn cyn mynd i unman, a bu'r ddau'n cydweithio arni am fisoedd cyn cychwyn y daith mil a hanner o filltiroedd o amgylch ucheldir yr Alban. Mae Aeron yn cyfaddef mai Wil wnaeth y rhan fwyaf o'r gwaith!

Nid dyma'r tro cyntaf i Wil ac Aeron fod yn yr Alban. Roedd Wil wedi bod yno gyda'i deulu pan oedd yn blentyn ac roedd Aeron wedi bod yno i gneifio. Ond y tro hwn roedd y ddau gyda'i gilydd, ac mewn campyr fan fach glòs!

Cychwynnodd y daith ym mis Medi 2016 a bu Wil ac Aeron yn yr Alban am dair wythnos yn ffilmio'r gyfres gyfan. Yn ystod y cyfnod teithiodd y ddau 1,500 o filltiroedd o ardal Selkirk i ynys Uist. Meddai Wil:

"Er ein bod ni mewn gwlad arall, gan ein bod ni yn agosach at adref do'n i ddim yn teimlo'r un cyffro rywsut. Buan iawn wnes i sylweddoli bod yr antur yn y campyr fan yn mynd i fod yn fwy o antur nag o'n i'n ddisgwyl."

Y syndod cyntaf oedd maint y wlad:

"Roedd Aeron a fi'n rhannu'r dreifio, ac roedd y ddau ohonan ni'n rhyfeddu at faint y lle. Roedd o'n anferth ac roedd y tirlun mor anhygoel o hardd."

Roedd y golygfeydd wedi synnu Aeron hefyd:

"Roedd gan yr Alban y waw ffactor go iawn a dwi'n cofio meddwl bod y daith o Fort William i Skye fel set ffilm James Bond."

Nid dim ond y ffermydd a'r tirlun oedd yn fawr. Roedd yr Albanwyr hefyd yn anferth, yn dal ac yn gryf ond yn gyfeillgar tu hwnt. Roedden nhw'n gallu yfed wisgi fel dŵr ac roedd hi'n amhosibl cadw i fyny efo nhw, er bod y ddau'n trio'n galed! Fel arfer byddai noson allan efo Albanwyr wedi bod yn llanast llwyr i'r ddau, ond roedd yn rhaid iddyn nhw fod yn gall oherwydd roedd yn rhaid codi'n gynnar i ffilmio bob dydd. Ac roedd codi yn y campyr fan yn ddigon o her heb orfod dioddef hangofyr hefyd!

Er bod Wil yn honni iddo fod yn 'gall', mae Aeron yn cofio un noson flêr ar y wisgi!

"Roedden ni wedi bod yn yfed efo rhai o bencampwyr yr Highland Games – cewri o ddynion anferth o'u cymharu â fi! Gawson ni ddim llawer o gwsg cyn gorfod codi am bump y bore i ddechrau ffilmio. Yn ffodus, ro'n i fel y bico yn y bore, ond roedd Wil yn teimlo'n sâl ac fe chwydodd yn y maes parcio! Ar ôl ychydig o awyr iach a sobri roedd hi'n amser inni newid i'n cilts a bod yn barod ar gyfer y criw ffilmio. Y gwirionedd ydy'ch bod chi'n cael llawer mwy o hwyl gyda'r cyfranwyr ar y sgrin os ydech chi'n cymdeithasu gyda nhw a rhoi cyfle i ddod i'w hadnabod oddi ar y sgrin... Ond mae'n bwysig gwybod ble mae'r ffin hefyd wrth gwrs!"

Mae Aeron yn cofio noson arall yn yr Alban pan ddysgodd Wil ac yntau wers bwysig am y 'ffin' honno. Roedd y ddau wedi bod yn ffilmio ar ynys Skye, ac roedd rhai o'r ffermwyr oedd wedi bod yn cyfrannu i'r rhaglen wedi gwahodd Wil ac Aeron i'r dafarn y noson honno. Roedd hi'n noson hwyliog a buon nhw'n yfed wisgi ac yn cyfansoddi caneuon efo'i gilydd. Yn anffodus, roedd nifer o bobl y dafarn wedi bod yn ffilmio'r canu ac yn rhannu'r fideos a lluniau ar y cyfryngau cymdeithasol. Cafodd y ddau row haeddiannol iawn trannoeth am fod yn amhroffesiynol. Yng nghwmni ffermwyr a ffrindiau, roedd hi'n hawdd anghofio mai cyflwynwyr oedden nhw.

Un o uchafbwyntiau taith yr Alban i'r ddau oedd cael mynd i Gemau'r Ucheldir yn Pitlochry a chael cystadlu. Meddai Wil:

"Roedd y gemau'n uchafbwynt y flwyddyn i'r Albanwyr, yn gyfle i gymdeithasu, yfed mwy o wisgi a chystadlu mewn gemau sy'n profi cryfder a statws yr unigolion. Roedd Aeron a fi'n edrych mor fach a gwirion yn ein cilts o gymharu â'r cewri 'ma!"

Cafodd Wil gyfle i gystadlu yn un o'r prif gystadlaethau, taflu'r *caber*:

"Ro'n i'n gyffrous ond hefyd yn nerfus! Roedd un o bencampwyr y World's Strongest Man yn fy erbyn i, yn ogystal â chewri o bob cwr o'r Alban! Doedd gen i ddim gobaith o ennill ond do'n i ddim eisiau gwneud ffŵl o fy hun chwaith, yn enwedig gan fod popeth yn cael ei ddarlledu ar S4C!"

Wrth baratoi ar gyfer y gystadleuaeth roedd Wil yn synnu o weld bod gan rai o'r bois ddefod arbennig. Roedden nhw'n annog ei gilydd i sniffio snyff cyn taflu'r *caber*. Roedd pencampwr Dyn Cryfaf y Byd yn annog Wil i wneud hefyd, ac oherwydd ei faint, roedd ganddo ofn dweud na:

"Doedd y criw cynhyrchu'n gwybod dim! Roedd arna i ofn y cewri yma yn fwy na'r criw cynhyrchu er mai nhw oedd yn fòs go iawn arna i! Aeth y tafliad yn ocê ond iesgob, mae'r Albanwyr yma fel peiriannau!"

Er bod y daith yn swnio'n hwyl ac yn llawn cymdeithasu, roedd ffilmio ar ffermydd yr ucheldir yn brofiad addysgiadol i Wil ac Aeron. Cyn mynd yno roedd y ddau'n credu mai 'crachach' neu bobl grand oedd ffermwyr y stadau yno gan eu bod nhw'n cael eu portreadu mewn brethyn ac yn saethu ceirw a grugieir (*grouse*). Ond nid felly mohoni, meddai Aeron.

"Dyden nhw ddim yn cael eu gweld fel y crachach. Hen fois iawn yden nhw ac mae'r saethu'n rhan bwysig o'u gwaith ar y stadau mawr yma. Roedd hi'n brofiad da i gael cyfle i ddod i'w hadnabod nhw a dysgu am eu traddodiadau amaethyddol."

Ar ddiwedd cyfnod o ffilmio ar un stad fawr, cafodd y ddau eu gwahodd i saethu grugieir gydag un o'r cyfranwyr, Capten Mark Nicholson – dyn posh, oedd yn falch iawn o'i wn. Y peth doniol oedd mai'r William Evans Shotgun oedd ganddo, enw a chyfenw Wil, ac roedd gan Wil yr un gwn adref yn Hendreseifion! Roedd y Capten mor gyffrous i ddangos y gwn 'prin' yma i'r cyflwynwyr, a bu bron iddo dorri ei galon pan esboniodd Wil fod ganddo'r un math yn union o wn adref. Yr ergyd olaf oedd y ffaith mai dim ond £150 wnaeth Wil ei dalu am ei wn o! Buon nhw'n tynnu coes ei gilydd am hyn wedi i'r Capten ddod dros y sioc.

Wrth deithio o amgylch y stadau, roedd hi'n amlwg i Wil ac Aeron bod mwy o gyfoeth yn y byd ffarmio yn yr Alban o'i gymharu â Chymru. Ond y tu hwnt i'r siacedi brethyn a'r tirlun eang, roedden nhw'n gallu gweld mai bechgyn o'r un anian oedden nhw, pob un yn gweithio'n galed a chwarae'n galed ac yn rhannu'r un cariad at y diwydiant.

Wrth deithio o amgylch yr Alban yn y campyr fan, roedd y ddau'n cael hwyl ymhlith y cymeriadau lliwgar. Oherwydd bod pum rhaglen i'w ffilmio a dim problemau ieithyddol, roedd mwy o amser i ddod i adnabod y cyfranwyr oedd yn ymddangos yn y rhaglenni y tro hwn. Mae Wil yn cofio un cymeriad yn dda:

"Buodd Aeron a fi'n ffilmio efo boi difyr o'r enw Angus MacDonald yn Uist – cymeriad oedd yn *jack of all trades* ac yn gallu troi ei ddwylo at bopeth ar y ffarm. Un noson ar ôl gorffen ffilmio am y dydd, daeth Angus â'r wisgi allan ac fe agorodd ei galon a datgelu wrtha i ei fod o wedi colli mab. Ro'n i'n teimlo'n freintiedig fod y bobl yma'n bondio efo ni i'r fath raddau mewn cyfnod mor fyr. Dyma un o fy hoff bethau am weithio ar y rhaglenni, achos dwi'n berson pobl. Do, mi wnaethon ni orffen y botel wisgi y noson honno hefyd, ond do'n i ddim yn sâl yn y bore. Wrth i'r daith fynd yn ei blaen roedd fy nghorff i'n dod i arfer efo'r wisgi 'ma, fel mae cyrff yr Albanwyr wedi'i wneud dros y blynyddoedd! Maen nhw'n yfed wisgi fel mae ffermwyr Cymru'n yfed te!"

Un diwrnod o seibiant gafodd Wil ac Aeron a'r criw yn ystod y cyfnod ffilmio yn yr Alban, ac i Aeron, hwn oedd y diwrnod hiraf oll. Ddau fis cyn teithio i'r Alban, roedd

Lleucu ei wraig wedi rhoi genedigaeth i Casi, eu plentyn cyntaf.

"Ro'n i'n teimlo'n uffernol o euog am adael y ddwy ac yn methu'r ddwy yn ofnadwy. Roedd yr amserlen ffilmio brysur yn help achos doedd dim llawer o *down time* i hiraethu a gorfeddwl. Ar yr unig ddiwrnod i ffwrdd yn ystod y daith, ges i neges gan Lleucu i ddweud ei bod hi'n cael diwrnod caled iawn gyda Casi. Ro'n i'n teimlo'n sâl efo euogrwydd y diwrnod hwnnw ac eisiau bod efo nhw. Ro'n i'n lwcus bod Wil yna efo fi."

Yn ffodus, fe fihafiodd y campyr fan ac fe lwyddodd i oroesi'r daith a chludo'r ddau ffarmwr yn ôl i Fro Ddyfi heb ormod o ddrama. Roedd y ddau'n falch o weld eu gwelyau cyfforddus – a'u teuluoedd wrth gwrs!

Roedd angen i Wil wneud y mwyaf o'r cwsg hefyd oherwydd roedd antur newydd yn ei wynebu ymhen mis. Roedd Nia yn feichiog a chafodd Hari Arthur ei eni fis ar ôl i'r ddau ddod yn ôl o'r Alban:

"Dwi'n falch ei fod o'n *laid back* fel fi a heb ddod yn gynnar! Efallai mai Casi, merch

Aeron, fydd yn cadw trefn arno fo yn Ysgol Glantwymyn mewn blynyddoedd, fel oedd Aeron yn ei wneud efo fi!"

9

Taith Rwmania

Roedd cynulleidfa S4C wedi mwynhau cyfres gyntaf Wil ac Aeron yn y campyr fan, ac er bod arian cynhyrchu cyfresi teledu yn brin, comisiynwyd ail gyfres a fyddai'n gwthio'r ddau a'r hen gampyr fan i'r eithaf!

Roedden nhw'n teimlo bod angen iddynt deithio ymhellach, er mwyn ehangu eu gorwelion eu hunain a'r gwylwyr ac er mwyn cael profiadau unigryw a gwahanol. Oherwydd bod cyllidebau S4C yn dynn, penderfynodd y ddau gynnig syniad am gyfres yn Ffrainc. Tipyn o sioc oedd deall felly mai i Rwmania fydden nhw'n mynd, rhan fwyaf dwyreiniol Ewrop!

Roedd hon yn mynd i fod yn daith heriol i'r hen gampyr fan – siwrne o 4,000 o filltiroedd dros gyfnod o dair wythnos o Bucharest i Cluj.

"Yn sicr, hon oedd y gyfres fwyaf *random*, ond roedd Wil a fi'n edrych ymlaen i ddysgu am effaith comiwnyddiaeth ar y diwydiant amaeth yn Rwmania," meddai Aeron cyn mynd. "Wna i rannu cyfrinach efo chi, wnaethon ni ddim dangos hyn ar y teledu, ond roedd rhaid inni roi'r fan ar drelar am ran o'r siwrne gan ei bod hi'n daith mor heriol iddi!"

Yn ogystal â'r trelar, roedd *fixers* a chyfieithwyr ar y daith hon hefyd, er mwyn helpu gyda'r trefniadau a sicrhau bod y criw yn ddiogel ac i gyfieithu'r cyfweliadau. Yno i helpu oedden nhw ond roedden nhw hefyd yn achosi problemau!

"Roedden nhw'n cweryla ac yn achosi trafferthion i'n criw cynhyrchu ni. Roedd hi'n awyrgylch anodd i ffilmio ynddi bob hyn a hyn, ac roedd Aeron a fi'n lwcus ein bod ni'n teithio yn y campyr fan ar wahân i'r gweddill am y rhan fwyaf o'r daith. Roedden ni'n joio ac yn canu gyda'n CDs canu gwlad tra'u bod nhw eisiau tagu ei gilydd ar brydiau!"

Yn Bucharest, treuliodd Wil ac Aeron ddau ddiwrnod efo gwrach leol. Dyma un o brofiadau mwyaf rhyfedd eu bywydau hyd yma!

"Roedd y ddynes yn uchel ei pharch. Roedd pobl o bob cwr o'r byd wedi ymweld â hi er mwyn iddi ddarllen eu ffortiwn. Roedd hi'n byw mewn tŷ mawr crand fel rhyw fath o seléb ond roedd hi'n wallgo, yn enwedig pan oedd y camera'n ffilmio! Roedd hi'n dweud ein ffortiwn ac yna'n creu rhyw fath o bantomeim, yn chwalu crochenwaith. Roedd hi'n llythrennol yn eu taflu nhw, a'r darnau'n taro Wil a fi!"

Aeth pethau o ddrwg i waeth pan fethodd â malu un darn o grochenwaith. Meddai Wil:

"Ro'n i'n gorfod mynd trwy ran o'r ddefod ar ben fy hun a jyst â marw eisiau chwerthin pan oedd y crochenwaith yma ddim yn malu a hithau'n gwylltio fwy a mwy. Roedd hi fel tarw blin! Ro'n i'n crynu wrth ddal y cyfan i mewn, achos dwi'n siŵr y bydde hi wedi'n hanner lladd i neu wedi rhoi rhyw felltith arna i taswn i wedi chwerthin!"

Ar daith ar hyd afon Danube cafodd Wil ac Aeron eu gwahodd i bysgota gyda thri brawd, ac roedd Aeron wrth ei fodd. Hwn oedd uchafbwynt y daith iddo. Er bod y tri brawd yn edrych yn fygythiol, roedden nhw'n groesawgar ac yn glên iawn.

Er gwaethaf y ffaith nad oedden nhw'n medru cyfathrebu â'i gilydd, roedd modd cyfathrebu'n gorfforol, ac roedd Aeron yn rhyfeddu eu bod nhw'n dal hyd at 500 cilo o bysgod y dydd ar ddiwrnod da.

Ond doedd Wil ddim mor hapus ar gwch!

"Dyn y tir ydw i, ddim dyn y môr, ac ro'n i'n mynd yn fwy a mwy gwyrdd ar hyd y daith. Roedd hi'n agoriad llygad i weld y diwydiant pysgota ond rhowch dractor i fi unrhyw ddiwrnod!"

Cafodd Wil ac Aeron gyfle i dreulio cyfnod yn cyd-fyw â'r grŵp ethnig lleiafrifol mwyaf yn yr Undeb Ewropeaidd, sef y sipsiwn. Bu'r ddau'n byw gyda theulu yng ngorllewin y wlad ac roedd yn brofiad digon rhyfedd.

"Roedden nhw'n bobl ocê ar y cyfan, ond roedd rhaid inni fod yn wyliadwrus. Rhaid parchu eu credoau a ddim torri jôcs, sy'n gallu bod yn anodd i Wil a fi! Roedden ni'n trio'n gorau i'w plesio nhw achos roedden ni'n gwybod eu bod nhw'n fois caled!"

Cafodd y ddau brofiad o fynd i ŵyl gyda'r sipsiwn, uchafbwynt blwyddyn y sipsiwn, ond roedd Wil ac Aeron yn amheus.

"Roedd Wil a fi allan o le go iawn, ddim yn teimlo'n gyfforddus yn eu cwmni meddw nhw, ac roedden ni'n edrych ymlaen i adael cyn i bethau fynd yn rhemp go iawn. Dwi'n falch nad oedd yn rhaid inni aros i gymdeithasu gyda nhw achos dyn a ŵyr beth fyddai'n hanes ni."

Cafodd Wil ac Aeron wahoddiad i fynd i eglwys y Romani. Doedd Aeron ddim yn hapus yno chwaith.

"Roedden nhw'n ein cwestiynu ni, yn holi a oedden ni'n Romani ac yn cwestiynu ein crefydd ni. Roedden ni'n ofni eu bychanu nhw a ddim eisiau eu hypsetio nhw. Ond roedd hi fel petaen nhw'n ddrwgdybus ohonan ni trwy gydol y sefyllfa, a doedd hynny ddim yn brofiad pleserus. Ond dyna natur rhaglenni teledu, mae'n rhaid i chi daflu eich hunan i mewn i bob math o sefyllfaoedd."

Roedd profi bywyd y sipsiwn yn Rwmania yn agoriad llygad ond roedd hi'n amhosibl dangos popeth yn y gyfres deledu. Doedd dim hawl ffilmio mewn rhai rhannau o'r gymuned, yn enwedig y rhannau cyfoethog. Roedd y *fixers* wedi rhybuddio'r criw cynhyrchu a Wil ac Aeron am hyn ac wedi dweud os bydden nhw'n mynd, fyddai'r *fixers* ddim yn dod ar eu holau! Roedd hi'n gymuned lawn cyfrinachau a thwyll. Pobl sydd wedi gwneud eu ffortiwn yn dwyn ydyn nhw ar ddiwedd y dydd, medden nhw, ac roedd pawb yn teimlo'n ansicr yn eu plith.

Mae Wil yn cofio un olygfa oedd yn crisialu'r profiad gyda'r sipsiwn i'r dim:

"Roedden ni yng nghanol rhes o draffig ac roedd 'na geffyl a chert ar un ochr inni a pherson tlawd iawn yr olwg ar gefn y gert. Ar yr ochr arall roedd 'na ddyn mewn Porsche – golygfa oedd yn adrodd cyfrolau am y gymuned ac am y wlad ryfedd yma."

Cafodd *Wil ac Aeron: Taith Rwmania* ei darlledu yn ystod Ebrill a Mai 2018. Roedd chwe rhaglen yn y gyfres ac roedd hi'n boblogaidd iawn, gydag ymateb gwych ar y cyfryngau cymdeithasol.

"Er bod y gyfres hon wedi'n herio ni ar sawl lefel, mae'n amlwg o'r ymateb bod pobl yn mwynhau ein gwylio ni fel dau ffrind a dau ffarmwr cyffredin mewn sefyllfaoedd anghyffredin. Er ei bod hi'n gallu bod yn anodd ar brydiau, mae Wil a fi'n gwybod ein bod ni'n ffodus i alw hyn yn waith a dwi'n falch 'mod i'n rhannu'r profiadau yma efo fo. Ond fyswn i byth yn datgelu unrhyw beth *soppy* fel'na wrtho fo chwaith!"

10

Y Bennod Nesaf

ERS DYCHWELYD O RWMANIA, mae'r campyr fan wedi aros yn yr unfan yn y sied ar ffarm Wil yn Hendreseifion. Mae Wil ac Aeron wedi bod yn treulio mwy o amser ar wahân.

"Dyden ni ddim wedi cwmpo allan na dim ond mae fel petai ein bywyd personol a'n bywyd gwaith ni wedi'n harwain ni ar drywydd ychydig yn wahanol ers dod 'nôl o Rwmania," meddai Aeron.

Yn ystod Hydref 2017 cafodd Aeron wahoddiad annisgwyl gan gwmni Slam Media i gyflwyno rhaglenni teledu y Ffair Aeaf o faes y Sioe Fawr yn Llanelwedd. Yn anffodus, roedd yn rhaid gwrthod y cyfle oherwydd bod yn rhaid iddo deithio Cymru gyda Sioe Nadolig Cyw.

"Rydw i wedi bod yn ffodus iawn i gael chwarae rhan Ben Dant, y môr-leidr, ar raglenni Cyw S4C ers 2012. Mae'n brofiad gwych ac yn caniatáu i fi berfformio, canu ac actio o flaen cynulleidfaoedd o blant ledled Cymru yn gyson. Ond weithiau mae'n rhwystredig oherwydd bod yn rhaid gwrthod gwaith arall. Mae gwrthod gwaith cyflwyno yn torri fy nghalon achos dyna dwi isie'i wneud yn y pen draw."

Tra oedd Aeron yn brysur yn actio fel môr-leidr gyda Benji'r parot, roedd Wil 'nôl adref yn Hendreseifion gyda'r gwartheg a'r defaid. Wil sy'n rhedeg y ffarm erbyn hyn, a'i wraig Nia yn bartner yn y busnes.

"Fi ydy'r bedwaredd genhedlaeth o'r teulu i redeg ffarm Hendreseifion ac mae o'n gyfrifoldeb mawr. Dwi eisiau parhau i ffarmio achos y ffarm yma sydd wedi 'ngwneud i'n pwy ydw i, ac mae o dal yn rhan fawr o bwy ydw i. Dwi'n mwynhau cyflwyno a gwneud y rhaglenni efo Aeron, ond fydd hynny byth yn cymryd lle'r ffarm. William Hendreseifion fydda i am byth tra mae Aeron yn Aeron Pughe erbyn hyn, ac nid Aeron Gwernbere."

Yn ystod gwanwyn 2018, cafodd Aeron y cyfle i gyflwyno *Galw am y Marc* ar BBC Radio Cymru. Roedd hi'n dipyn o sioc cael cyfle i gyflwyno rhaglen radio, yn enwedig rhaglen am rygbi!

"Roedd hyn yn freuddwyd! Ro'n i'n cydweithio efo arwyr fel Alun Wyn Bevan – gŵr bonheddig ac athro gwych. Ro'n i'n cyfweld Brynmor Williams a mawrion y byd rygbi ac yn gorfod pinsio'n hunan weithie! Dwi dal yn methu credu eu bod nhw wedi gofyn i fi o bawb gyflwyno'r rhaglen yma. Ro'n i'n teimlo fel bachgen bach ymhlith y cewri."

Roedd y profiad o weithio ar raglen radio yn hollol wahanol i'r profiad o gyflwyno'r rhaglenni teithio efo Wil. Roedd angen llawer iawn o baratoi o flaen llaw, lot o waith cartref ac ymchwil er mwyn sicrhau ei fod yn gwybod ei ffeithiau, yn enwedig gan nad oedd Wil ei *sidekick* efo fo! Roedd y rhaglenni wedi eu recordio o flaen llaw, ond roedd y cyfyngder amser yma'n wahanol i'r rhaglenni teledu, pan oedd angen ffilmio oriau o ffilm i greu rhaglen hanner awr. Disgyblaeth wahanol ond profiad da iawn, meddai Aeron.

Yn dilyn y rhaglen radio, cafodd Aeron gynnig arall gan Slam Media i gyflwyno eitemau ar raglen y Sioe Frenhinol. Wedi gwrthod y cyfle i gyflwyno'r rhaglen o'r Ffair Aeaf roedd yn rhaid iddo dderbyn y cynnig hwn, er bod yr amseru'n anffodus unwaith eto!

"Roedd Lleucu'r wraig yn disgwyl ein hail blentyn. Roedd Now yn *due* ar y 19eg o Orffennaf a rhaglenni'r Sioe Frenhinol yn cychwyn ar yr 22ain! Roedd yn amser *stressful* iawn inni fel teulu ac i'r criw cynhyrchu. Roedd Lleucu'n gwybod bod y swydd yma yn un bwysig i fi ond doedd hi na neb arall yn gallu gwneud unrhyw beth am amseru Now! Yn ffodus mi gyrhaeddodd Now cyn y Sioe, ac er fy mod i'n teimlo'n euog am adael Lleucu a Now a Casi'r ferch yn ei chanol hi, roedd Lleucu'n gefnogol a dwi'n lwcus iawn ohoni."

Er bod Wil yn teimlo'n rhyfedd yn gwylio Aeron ar raglenni'r Sioe, mae'n gefnogol iawn i'w ffrind:

"Dwi'n credu bod Aeron wedi gwneud job dda ohoni. Roedd o'n amlwg yn mwynhau ac er bod sawl un wedi holi, do'n i ddim yn genfigennus. Ro'n i'n dymuno lwc dda iddo fel y byddai unrhyw ffrind."

Roedd cyflwyno'r Sioe yn brofiad gwych yn ôl Aeron, ac roedd hyn yn drobwynt yn ei yrfa deledu. Fel un sydd wedi cael ei fagu ar ffarm, roedd cyflwyno'r Sioe yn fraint fawr iddo. Wrth gyflwyno roedd yn dychmygu ei fod yn cyflwyno'r rhaglen i'w nain a'i daid a'r holl bobl hynny sydd ddim yn gallu mynd i'r Sioe erbyn hyn. Cafodd brofiadau gwych wrth gyflwyno'r rhaglenni, o gwrwgla ar y llyn i ddringo'r polyn, er bod hynny'n ddychrynllyd, meddai. Ond doedd o ddim am wrthod unrhyw beth achos roedd eisiau profi ei fod yn ddigon o ddyn i wneud y cyfan.

Nid Wil yn unig oedd yn canmol perfformiad Aeron ar raglenni'r Sioe. Cafodd lythyron a negeseuon gan wylwyr o bob cwr o Gymru, ac roedd hynny'n golygu llawer iddo:

"Er fy mod i wedi bod yn cyflwyno rhaglenni *Ben Dant* ac yn cydgyflwyno efo Wil, roedd cyflwyno'r rhaglenni o'r Sioe Frenhinol yn drobwynt yn fy ngyrfa. Am y tro cyntaf o'n i'n teimlo bod pobl yn fy ngweld i fel cyflwynydd go iawn, yn hytrach na'r ffarmwr sy'n cyflwyno rhaglenni. Roedd o'n *buzz* go iawn ac mae nifer o gyfleoedd wedi codi ac yn dal i ddod ers cyflwyno'r rhaglen hon. Diolch i Now am ddod ar amser, ddeuda i!"

Ychydig wythnosau ar ôl cyflwyno rhaglen y Sioe Frenhinol daeth cyfle i gydgyflwyno eto gyda Wil, ond y tro hwn, cydgyflwyno'r Sioe Frecwast ar BBC Radio Cymru 2.

"Roedd Aeron wedi cael sgwrs efo criw Radio Cymru 2 – fo sy'n gwneud y siarad a'r *deals* bob tro – ac roedden nhw'n awyddus inni gyflwyno'r Sioe Frecwast yn fyw. Mae Aeron wastad yn gyffrous am bob cynnig ac yn gallu bod yn ddigon *pushy* ar adegau! Do'n i ddim yn siŵr a oeddwn i'n ddigon da i gyflwyno'n fyw. Dydy fy Nghymraeg i ddim mor dda ag un Aeron. Roedd Aeron yn gwylltio efo fi ar y ffôn, ac yn y pen draw roedd hi'n haws cytuno a gweld sut bydde pethe ar ôl inni gael ymarfer."

Cafodd y ddau wahoddiad i fynd i'r BBC yng Nghaerdydd am gyfarfod i drafod syniadau gyda'r tîm cynhyrchu, ac yna i gael ymarfer ar y cyflwyno a dysgu sut i reoli'r ddesg yn y stiwdio. Roedd Wil yn teimlo'n gyffrous ac yn llawer mwy hyderus ar ôl hynny:

"Roedd pawb yn lyfli, mor gartrefol, ac roedden nhw'n hoffi'n syniadau ni ac yn awyddus inni roi ein stamp ein hunain ar y rhaglen. Aeron oedd yn rheoli'r ddesg. Mae o'n fwy hyderus na fi efo'r pethe technegol 'ma ac yn licio herio'i hunan, felly roedd hynny'n gweithio'n iawn."

Roedd Aeron yn mwynhau cydweithio efo'i ffrind unwaith eto, ond wedi arfer cyflwyno ar ei ben ei hun erbyn hyn, roedd cydgyflwyno eto yn ddigon heriol:

"Er ein bod ni'n adnabod ein gilydd yn dda ac wedi arfer gweithio efo'n gilydd, mewn rhaglen fyw mae'n anodd gwybod pryd mae'r llall yn mynd i stopio siarad a phwy sy'n mynd i holi be mewn cyfweliad. Dwi'n gorfod cymryd contrôl weithie. Hefyd, achos bod Wil yn *laid back*, mae o'n *comedy genius* ac yn gwneud i bawb chwerthin. Ond does 'na ddim lle i ddau idiot mewn ystafell, yn enwedig mewn rhaglen fyw!"

Mae Wil yn cytuno bod y profiad wedi bod yn un da ond hefyd yn un anodd ar adegau.

"Mae Aeron yn mynd yn llawer mwy *stressed* na fi! Yn y rhaglen gyntaf roedd

Aeron yn torri ar fy nhraws i a ddim yn rhoi cyfle i fi siarad. Wnaethon ni gwmpo allan a gwyllltio efo'n gilydd, ond daeth pethe'n lot haws wedyn ac roedd yr ymateb yn grêt."

Wrth edrych ymlaen i'r dyfodol, mae'n amlwg bod y ddau wedi mwynhau'r cyfleoedd yn y cyfryngau, ond yn gweld ei gilydd mewn dau gae ar wahân o ran eu gyrfa.

"Dwi wedi bod yn dweud wrth fy nheulu fy mod i am chwarae mwy o ran yn y busnes weldio teuluol ers blynyddoedd," meddai Aeron. "Ond ar hyn o bryd, o ganlyniad i lwyddiant fy mherfformiad wrth gyflwyno rhaglenni'r Sioe Frenhinol, mae pethau cyffrous yn digwydd, fel cael y cyfle i gyflwyno'r rhaglen gwis newydd sbon, *Y Siambr*. Nid rŵan ydy'r amser i ddychwelyd i'r busnes felly, ond dwi'n benderfynol o gymryd y busnes drosodd un dydd. Rydw i'n ffodus bod y busnes yna wrth gefn os daw'r *limelight* i ben."

Fel tad i ddau blentyn ifanc, mae Aeron yn gwerthfawrogi bod y gwaith teledu a radio yn caniatáu iddo sicrhau cyflog gwell a hyblygrwydd o ran amserlen waith, yn wahanol i'r rhieni sy'n ffarmio'n llawn amser:

"Does dim modd cael diwrnod o wyliau pan ydech chi'n ffarmio, mae'r stoc eich angen chi bob dydd. Dydy Nadolig a gwyliau haf yn golygu dim iddyn nhw! Diolch i'r cyfleoedd yn y cyfryngau, dwi bellach yn gallu cynnig *lifestyle* gwell i'r teulu, heb boeni am bres bob munud fel o'n i'n arfer gwneud. Dwi'n gwybod fy mod i'n ffodus iawn ac yn freintiedig, a dwi'n ddiolchgar am gefnogaeth fy nheulu. Gobeithio bydd y cyfleoedd cyflwyno yma'n parhau."

Breuddwyd wahanol sydd gan Wil. Ei uchelgais yntau ydy sicrhau bod ei deulu a'i fab Hari, a'r ail blentyn sydd ar y ffordd, yn falch o'r ffordd mae o'n rhedeg y busnes:

"Mae'r ddau daid a fy rhieni yn arwyr i fi. Maen nhw wedi gweithio'n galed a brwydro i gadw'r ffarm i fynd ac adeiladu ar lwyddiant y busnes, a dwi eisiau gwneud yr un peth. Mae'n anodd gwybod beth ydy dyfodol ffarmio heddiw, mae'n gyfnod pryderus iawn inni."

Er mai ffarmio yw'r prosiect hir dymor, dydy Wil ddim wedi troi ei gefn ar y cyfryngau:

"Yn wahanol i Aeron, dwi'n gweld y cyflwyno fel ffordd wahanol o arallgyfeirio a chefnogi'r teulu a'r diwydiant i raddau. Dwi bendant ddim eisiau i'r gwaith ddod i ben achos dwi'n ei fwynhau, ac mae'n fraint cael y profiadau yna mae Aeron a fi wedi'u cael."

Mae Aeron yn mwynhau'r amrywiaeth o waith actio a chyflwyno, ond mae Wil yn awyddus i weithio ar raglenni sy'n ymwneud â'r tirlun a'r diwydiant amaeth yn benodol:

"Ffarmwr ydw i, bachgen y tir, a dwi'n awyddus i wneud rhaglenni sy'n adlewyrchu fy niddordebau i a'r person ydw i achos fan'na dwi ar fy ngore. Dwi isio dysgu am ddulliau ffarmio'r cowbois a fyswn i wrth fy modd yn cael cyflwyno rhaglenni antur eithafol sy'n gweld y tirlun yn fy herio i, fel mae Bruce Parry, Bear Grylls, Lowri Morgan ac Ant Middleton yn ei wneud. Dwi'n berson *laid back*, fel mae Aeron yn dweud, ond mae gen i lot o *drive* pan mae'n dod i'r pethe dwi wir eisiau eu gwneud."

Ta waeth pa gyfleoedd ac anturiaethau ddaw i ran Wil ac Aeron, mae'r ddau'n cytuno na fydd unrhyw waith na gyrfa yn chwalu eu cyfeillgarwch:

"Ryden ni'n ffrindiau ers pan oedden ni'n ddim o beth, ac rydw i'n falch iawn bod Wil a fi wedi cael y fraint o weithio efo'n gilydd ar brosiectau cyffrous sydd wedi mynd â ni i bellafoedd byd. Fyswn i ddim wedi gallu rhannu'r profiadau hynny efo neb gwell a fyse neb arall wedi rhoi fyny efo fi mewn rhai o'r sefyllfaoedd yna, mae'n siŵr. Mae o wastad wedi edrych ar fy ôl i a dwi'n lwcus ohono fo! Bydd Wil a fi'n ffrindie oes, hyd yn oed os yden ni'n cweryla fel ci a chath ar brydie!"

"Mae Aeron yn gallu bod yn boen yn y pen ôl ac yn waith caled weithie!" meddai Wil. "Ond dwi'n meddwl y byd ohono fo ers pan oedd o'n fachgen bach yn y sbectol ddu yna. Fydd hynny byth yn newid! Mae o'n *pushy* ac yn cymryd drosodd achos mai perffeithydd ydy o, ond mae gennon ni i gyd ein beiau, yn does! Mae gwaith yn mynd a dod, ond 'den ni angen ffrindiau am byth, ac ryden ni'n lwcus o'n gilydd... y rhan fwyaf o'r amser!"